ワクワク!!

ローカル鉄道路線

◆著◆ 梅原 淳

北海道・北東北編

ゆまに書房

もくじ

はじめに

全国に広大なネットワークをもつ鉄道は、それぞれがさまざまな役割を与えられて建設されました。人々が都市と都市との間を高速で移動する目的で整備されたのは新幹線ですし、大都市のJR、大手民鉄、地下鉄各社の路線は、都心部への通勤や通学の足となるためにつくられました。今日では少なくなりましたが、大量の貨物を運ぶためだけの目的で線路が敷かれた路線も工業地帯を中心に健在です。

そのようななか、もともと人があまり住んでいない地域ですとか、過疎化が進んだ地域を行く鉄道も各地で見られます。終点がある程度の規模の都市にあり、途中は人口がまばらなところというのでしたらまだしも、乗っているうちにどんどん人の気配が薄れていく路線も少なくありません。

もちろん、こうした路線も立派な役割を担って建設されました。交通の便が悪かった地域に鉄道を敷いて人々や物資の移動に役立てると同時に沿線の開発や振興を図るとか、沿線で産出される品々を大都市に出荷するためであるといった目的です。しかし、いま、ローカル線と呼ばれる鉄道の多くは、計画されていたときの役割を果たせなくなってしまいました。時代の変化に伴って果たすべき事柄が消えてしまったのです。沿線の開発や振興は成し遂げられ、人々や物資の移動はより小回りの利く自動車に取って代わったからといえるでしょう。

本書では全国を「北海道・北東北」「南東北・北関東」「南関東広域」「北陸・信越・中部」「関西」「中国・四国・九州・沖縄」の6つの地域に分け、ローカル線を紹介することとしました。取り上げるにあたっては3つの点を重視しています。

まずは今後の動向です。近い将来に営業が廃止されるような予定や動きが見られる路線は、やはり優先的に取り上げました。

続いては旅客や貨物の輸送量です。少々専門的となってしまいますが、その路線の1kmにつき、1日当たりどのくらいの人数の旅客やトン数の貨物が通過しているかを基準としました。原則として旅客は4000人未満、貨物は4000トン未満の路線から選んでいます。

最後は路線のもつ特徴から判断しました。旅客や貨物の通過量が少ない点に加えて、たとえば、険しい峠越えが待ち構えているとか、延々と海沿いに敷かれているとか、ほかの路線にはない際立った特徴をもつ路線はやはり紹介しなければなりません。

全線を通じて見れば旅客や貨物の通過量が多く、ローカル線とは考えられないものの、全国には同じ路線内でも一部の区間だけ極端に旅客や貨物の通過量が少ない路線が数多くあります。概してこのような区間は非常に際立った特徴をもつといえますので、できる限り紹介しました。

本巻では北海道、青森県、秋田県、岩手県を通る路線を対象としています。沿線の方々には恐縮ながら、ローカル線の数が多く、選定には苦労しました。いま挙げた基準にそって公正に選んだつもりですが、最終的にはその路線のもつ特徴を考慮して選んでいます。もちろん、紹介していないからといって魅力の薄い路線では断じてありません。矛盾したことを言いまして恐縮ながら、本書で紹介した路線の数々が今後変貌を遂げて、ローカル線でなくなることを祈りたいと思います。

梅原 淳

凡例

○本書で紹介した各路線についての状況は、2018（平成30）年4月1日現在のものです。ただし、旅客輸送密度は2015（平成27）年度の数値となります。旅客輸送密度の求め方は「年間の輸送人員×旅客1人当たりの平均乗車キロ÷年間の総営業キロ」です。

○文中で「橋りょう」とは、鉄道の構造物で川や海などの水場、それから線路、道路などを越えるもののうち、川や海などの水場を越えるものを指します。

○こう配の単位のパーミルとは千分率です。水平に1000ｍ進んだときの高低差を表します。

JR北海道

宗谷線

旭川～稚内間 [営業キロ]259.4km

[最初の区間の開業]1898(明治31)年8月12日／旭川～永山間
[最後の区間の開業]1928(昭和3)年12月26日／南稚内～稚内間
[複線区間]旭川～北旭川間
[電化区間]旭川～北旭川間／交流2万ボルト／50ヘルツ
[旅客輸送密度]746人

小説の舞台にもなった塩狩駅

高架駅の旭川駅を出発した稚内方面の下り旅客列車はしばらくの間、複線で電化された線路を進みます。ローカル鉄道路線でありながら、意外な姿を見せているので驚くかもしれません。旭川駅と新旭川駅との間の3.7kmは石北線の列車も走ります。それから、新旭川駅からさらに2.9km先にある貨物駅の北旭川駅までは、電気機関車が引く貨物列車も運転されているため、2本の線路に架線が用意されているのです。

旅客列車が永山駅に着くころには、線路は1本で架線も張られていない、ローカル鉄道路線らしい趣となります。蘭留駅までの線路は平坦で直線基調です。雪のない季節ですと、周囲に水田が広がる様子がうかがえるでしょう。

○抜海駅に停車中の旭川方面行き普通列車。この駅は1日平均の乗車人員が10人以下と利用者が少ない。*

蘭留駅を出発しますと目前に山が現れ、ディーゼルカーはエンジンをうならせて上り坂に挑みます。距離にしておよそ6km、時間にしておよそ10分でしょうか。旅客列車は峠に設けられた塩狩駅で一息つきます。この駅の標高は256m、旭川駅が114m、蘭留駅でも185mの高さですから、ずいぶん上ったものです。

いまから100年以上も前、塩狩駅では悲しい事故が起きました。1909（明治42）年2月28日、この駅に差しかかった旭川行きの旅客列車の連結器が壊れ、一部の客車が坂道を下ってしまいそうになったのです。旅客列車に乗っていた鉄道員の長野政雄は何と自らの体を線路に投げ出し、身をていして客車を止めにかかります。長野は命を落としましたが、客車は止まり、大惨事をまぬがれたのです。

塩狩駅には「長野政雄氏殉職の地」と記された顕彰碑が建立され、長野の偉業をいまに伝えています。また、小説家の三浦綾子はこの話をもとに『塩狩峠』を発表し、多くの人々に感動を与えました。

峠を下る道のりは和寒駅で終わり、再び直線がちの平原を進みます。周囲を見回すと、高い木もない広々とした景色が広がりますが、なぜか線路の周囲にだけは針葉樹林が広がっているのがわかるでしょうか。この針葉樹林はもともとこの地に自生していたものではありません。列車を吹雪から守るために植えられたものでして、吹雪防止林と呼ばれます。

和寒駅と士別駅との間の約13kmにわたる吹雪防止林は、大正時代に深川冬至という鉄道員によって育てられたものです。この周辺の土地は過湿泥炭地であるため、林業の専門家でさえ植樹は不可能と考えられていました。深川は地質改良を行い、さらには外来種のドイツトウヒならば成育できるとつき止め、苦心の末に吹雪防止林の植林に成功します。残念ながら、深川は激務がたたって若くして命を落としましたが、その栄誉は剣淵～北剣淵間に建てられた顕彰碑によって讃えられ、あわせてこの吹雪防止林は深川林地と呼ばれるようになりました。

小説『塩狩峠』の舞台となった塩狩駅には、峠を示す柱が建てられている。*

深川冬至によって植樹された吹雪防止林を北剣淵駅から見たところ

キャプションに*印がついている写真は、ピクスタ提供によるものです（以下同）。

バラストからわかる宗谷線の特徴

軽やかな足取りで進む旅客列車はやがて、沿線でも規模の大きな町に入ります。名寄市の名寄駅です。この駅を境に宗谷線の趣は一変します。

旭川〜名寄間の76.2kmはローカル鉄道路線とはいえ、軌道の改良工事が実施されたため、特急列車は時速120kmの最高速度で走ることができるようになりました。その様子は分厚く盛られたまくらぎ下のバラスト（線路に敷く砕石や砂利）からもうかがえます。

ところが、名寄〜稚内間の183.2kmは軌道の改良工事は行われず、特急列車の最高速度も時速95kmに抑えられたままです。軌道を見ますと、バラストは薄く、しかも多くは角が取れて丸くなっていたり、すり減って小さくなっています。車両の重さを支えるには心もとない限りでしょう。

実は名寄駅からおよそ120kmの区間は、宗谷線が沿う天塩川流域の湿地など、地質の悪い場所を数多く通ります。せっかくバラストを盛っても、列車の振動と地盤の沈下によって、すぐに崩れてしまうという、いわば「賽の河原（むだな努力のたとえ）」のような作業をJR北海道の線路保守担当者が延々と続けていることを気にとめておいてください。

長らく沿った天塩川とは幌延駅を過ぎると別れを告げ、旅客列車は今度はサロベツ原野のなかを進みます。徳満駅を過ぎますと、あたりはサロベツ原野の湿地帯です。ちょうどこのあたり、徳満駅から5.7km、兜沼駅から4.3kmの場所には2001（平成13）年7月1日まで芦川駅が設置されていました。「冬季に東風が吹くと雪害が発生する」とは、利用者の減少によって廃止されたこの駅の駅舎に記

宗谷線を走るラッセル車

宗谷線に沿うように流れる天塩川*

角が取れ、すり減ったバラストが目立つ名寄〜稚内間の智恵文駅の軌道

○抜海～南稚内間を行く特急「スーパー宗谷」。後方に見えるのは利尻島にそびえる利尻山*

されていた文言です。厳しい自然と共に生きる鉄道関係者の心意気が伝わる話ではないでしょうか。

旅客列車が抜海(ばっかい)駅を出発しますと、進行方向左側に日本海が姿を現します。天候に恵まれれば日本海の先に利尻山(りしりざん)が見えるでしょう。しかし、日本海の眺望はすぐに失われ、旅客列車は最後の峠越えに挑みます。6kmほど坂を上下して旅客列車は南稚内駅に到着です。

宗谷線が目指していた稚内市についに着きました。企業などが多く立地する南稚内駅を過ぎ、旅客列車が目指すのは2.7km先の稚内駅です。この駅は旅客船が多数発着する稚内港、そして稚内市役所に近く、何よりも日本最北の地にある駅として、降り立てば「はるばる来た」という旅情が感じられることでしょう。

宗谷線の歴史を知っておこう

宗谷線の歴史は古く、北海道庁によって旭川～永山間の9.3kmが1898（明治31）年8月12日に開業したことに始まります。北海道庁による建設工事は名寄までは順調で、1903（明治36）年9月3日までに開業しました。ところが、国の機関である内閣鉄道院が引き継いだ名寄～稚内間の建設工事は難儀を極めました。初めて人が足を踏み入れた場所もあり、地質が悪いところも多く、そのうえ厳しい寒さに見まわれながらも、名寄～南稚内間は1924（大正13）年6月25日までに開通します。最後に残った南稚内～稚内間が1928（昭和3）年12月26日に開業し、宗谷線は全線開業を果たします。

JR北海道

札沼線

桑園～新十津川間 [営業キロ] 76.5km

[最初の区間の開業] 1931 (昭和6) 年10月10日／中徳富 (廃止) ～新十津川間
[最後の区間の開業] 1935 (昭和10) 年10月3日／石狩当別～浦臼間
[複線区間] 八軒～あいの里教育大間
[電化区間] 桑園～北海道医療大学間／交流2万ボルト／50ヘルツ
[旅客輸送密度] 6607人

人家の多い場所を行く超閑散路線

札沼線の列車の運行を担当するJR北海道は、この路線のうち北海道医療大学駅と新十津川駅との間47.6kmの営業を取りやめたいと2016（平成28）年11月に発表しました。利用者が大変少ないからです。

鉄道が姿を消すというだけに、この区間は大変な山あいを行くとか、人家まれな荒野を行くという具合に、沿線で繰り広げられる景色への想像はふくらみます。実際のところはどうなのでしょうか。

実をいいますと、今後も営業が続けられる札沼線の残りの区間である桑園駅と北海道医療大学駅との間を乗り通してから、今回廃止がうわさされる区間に向かうと少々拍子抜けしてしまうかもしれません。北海道医療大学駅はその名のとおり、北海道医療大学の当別キャンパスが駅のすぐ北側にあり、時間帯によっては多くの学生でにぎわっており、ここ

○桑園～北海道医療大学間は電化され、一部区間が複線と、大都市近郊の通勤路線である。

から先の鉄道が廃止されるような駅には見えないからです。

北海道医療大学駅の南側に目を向けてみましょう。駅のすぐ隣には国道275号が通っていて、結構な数の自動車が行き交っています。国道の奥は水田や畑です。雪が積もっていない季節であれば、確かに一面の緑ではありますが、人の手が入った土地ですから荒野ではありません。

ともあれ、新十津川行きの列車に乗ってみましょう。札沼線の線路は石狩平野の西の端に敷かれており、線路のすぐ西側には増毛（ましけ）山地と呼ばれる山々がそびえています。列車は増毛山地に踏みこむこともなければ、石狩平野の真ん中へと向かうこともありません。ひたすら、平地と山地との境界となる平らな場所を忠実に進んで行くのです。

○雪に埋もれた石狩金沢駅。駅舎は貨物列車の最後尾に連結されていた車掌車から転用された。*

○冬には吹雪防止林となる新緑を行く札沼線の普通列車

石狩金沢（いしかりかなざわ）駅を過ぎたあたりでそれまで並走していた国道275号の姿が見えなくなり、線路の両側には木々が立ち並ぶようになります。札沼線の沿線は冬になると吹きだまりが起きるほどの積雪に見まわれるのです。そこで、列車を雪から守るための吹雪防止林（ふぶきぼうしりん）が植えられました。

吹雪防止林には冬でも葉を落とさない針葉樹が適しています。札沼線の線路を守る吹雪防止林もマツの仲間が目立ちますが、ところどころに広葉樹が現れるのが特徴です。列車のすぐそばに植えられた多くの木が秋には紅葉し、冬には葉がなくなってしまうのですぐにわかるでしょう。これらの広葉樹はもちろん吹雪防止林ではなく、どうやら札沼線の線路が敷かれる前から自生していたようです。もしも、吹雪防止林が必要でしたらこれらの広葉樹は伐採されたはずですから、このような場所では吹きだまりはそうひどくはないのかもしれません。

同じ札沼線でもJR北海道が自力で鉄道を維持できると表明した桑園～北海道医療大学間と比べますと、確かに人家はまばらとなり、沿線の人口が少ないことがうかがえます。かといって今回紹介する北海道医療大学～新十津川間では人の姿がまったく見えないかというとそのようなこともありません。線路両側の木々が途切れた場所には住宅が建ち並んでいますし、警報機と遮断器とを備えた踏切を通りますと、自動車が列車の通過を待っています。木々に隠れてよく見えないのですが、石狩平野側を中心に田畑は途切れることはないのです。

路線名どおり、沿線には沼が多い

北海道医療大学駅から15.3km先の知来乙駅を過ぎますと、急に視界が開け、列車は市街地の中を進みます。やがて住宅だけでなく会社や学校の建物が見えてきますと、石狩月形駅に到着です。

石狩月形駅はそれまでの駅とは異なり、列車同士が行き違うことができ、何よりも立派な駅舎が出迎えてくれます。この駅のある月形町の人口は3000人あまりでして、人々の多くは駅周辺の市街地に住んでいるようです。でも、石狩月形駅から300mほど離れた北海道月形高校に通う生徒を除いて、ほとんどの人は札沼線を利用していません。

月形町の人々は自動車を利用しています。これは地方交通線の沿線であればどこも同じような傾向です。月形町の人々が札沼線に乗らない理由はもう一つ挙げられます。石狩月形駅から直線距離でおよそ15km南東にJR北海道函館線が通っているからです。駅前の通りを直進すると函館線の峰延駅に到達します。普通列車しか停車しない峰延駅では中長距離の利用に不便というのであれば、石狩月形駅から南南東に約17km離れた岩見沢駅に行けばよいでしょう。道路事情に恵まれた北海道ですから、自動車ならば15km前後の距離はひとっ走りとなります。月形町の人々が列車の本数が多い函館線を利用するのは理にかなっているのです。

○石狩月形駅は北海道医療大学～新十津川間で最大の月形町にある。

○石狩月形駅に設置された案内表示。この駅から札幌行きの直通列車は運転されていない。*

石狩月形駅を出発した列車の車窓に広がる景色は、それまでとあまり変わりがありません。増毛山地と石狩平野との境目を走り、線路の両側には木々が連なっています。

札沼線とは札幌、そして1972（昭和47）年6月19日まで結んでいたいまのJR北海道留萌線の石狩沼田との間を結ぶことから、「札」と「沼」とを取って名づけられた路線です。とはいえ、札沼線の沿線には多くの沼があり、特に石狩月形～新十津川間には大きな沼が目立ちます。鶴沼駅の近くにもその

増毛山地を見ながらただ1両のディーゼルカーが行く。

名のとおり鶴沼が新十津川行きの列車でしたら進行方向右側にあるのですが、残念ながら木々にさえぎられて見えません。これらの沼は石狩川が蛇行した跡でして、三日月湖と呼ばれます。

かつて、札沼線の沿線は石狩川の水害にたびたび苦しめられ、またもともと川であった場所が多いために地質が悪く、開拓には大変な苦労を伴いました。大正時代から戦後にかけて行われた石狩川の治水工事によって曲がりくねったこの大河の流れは直線基調となって水害を受けにくくなり、また多数の水路が完成して泥炭地は農業に適した土地に生まれ変わったのです。

於札内駅を出ますと急に視界が開けます。田畑が広がる平地のなかを列車は進み、新十津川駅に到着です。景色は全般に単調といえますが、先人たちの偉業を思い浮かべながら乗りますと、異なった味わいが得られることでしょう。

石狩川が形成した三日月湖の月ヶ湖(大沼)*

1972年6月19日以来終点となっている新十津川駅。かつては34.9km先の石狩沼田駅まで線路が延びていた。

JR北海道
根室線
滝川～根室間 [営業キロ]443.8km

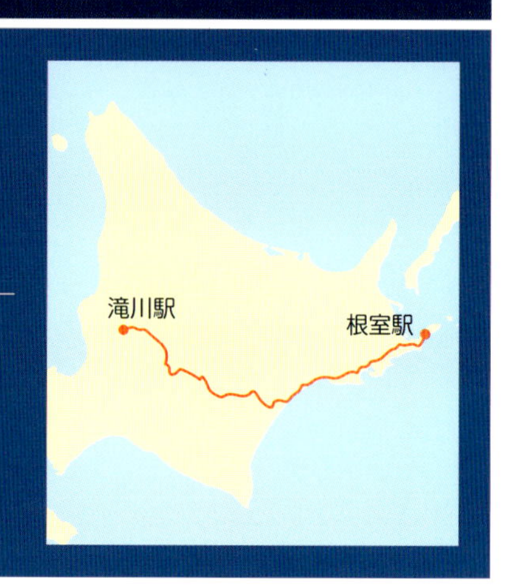

[最初の区間の開業]1900(明治33)年12月2日／富良野～鹿越(廃止)間
[最後の区間の開業]1921(大正10)年8月5日／西和田～根室間
[複線区間]なし
[電化区間]なし
[旅客輸送密度]1332人

北海道の雄大さが実感できる路線

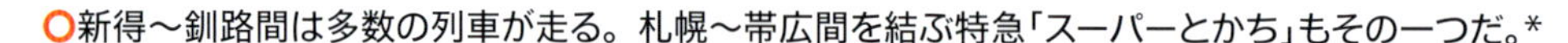

北海道の広さはなかなか実感できないものですが、鉄道を利用するとよくわかります。その最もよい例がJR北海道の根室線です。起点の滝川駅と終点の根室駅との間は443.8kmあります。もしも、東京駅から東海道線で下っていったとしたら、445.9km先にある滋賀県の米原駅の手前にまで相当する距離です。

根室線の列車は、広々とした構内をもつ滝川駅を出発すると1kmほど函館線と並行に直進し、その後右に分かれていきます。景色は比較的単調です。しばらくは滝川市の市街地を行き、気がつけば水田地帯に変わっていることでしょう。木々にさえぎられてなかなか見ることはできないものの、東滝川駅を過ぎたあたりで空知川が寄り添い、滝川から108.2km先の落合駅の周辺までほぼ並行して走ります。

芦別駅はいまでこそ2面のプラットホームに2本の線路という比較的単純なつくりの駅です。でも1989(平成元)年3月25日までは

○新得～釧路間は多数の列車が走る。札幌～帯広間を結ぶ特急「スーパーとかち」もその一つだ。*

この駅は三井芦別鉄道という民営の鉄道の起点でもありました。南東に進む根室線に対して南西方向に分かれていたこの鉄道の終点は約10km先の頼城駅です。廃止直前は貨物輸送だけを行っており、沿線で産出される石炭を芦別駅まで運ぶ役割を担っていました。

芦別駅では三井芦別鉄道からやって来た石炭貨物列車をけん引するディーゼル機関車を切り離し、国鉄またはJR貨物のディーゼル機関車を連結する作業で終日にぎわっていたそうです。根室線に乗り入れた石炭貨物列車は滝川駅から函館線、そして岩見沢駅から室蘭線をそれぞれ経由して本州方面へ向かっていました。

野花南駅を過ぎ、それまで西南西であった線路の向きが南南西に変わるころ、集落は途切れて山道となります。快調に進む列車を出迎えるのはトンネルです。長さ5595mの滝里トンネルを抜けるとスノーシェルターの中をくぐり、続いて長さ2839mの島ノ下トンネルに入ります。列車に乗っているとスノーシェルターもトンネルに感じられますから、実際には約8.4kmもの間がトンネルといってよいでしょう。

滝里、島ノ下の両トンネルは、根室線のこの区間が1913（大正2）年11月10日に開業したときにはありませんでした。線路はもともといまよりも北東側に敷かれていたのですが、空知川に滝里ダムが建設された結果、開業時からの線路はダムの底に沈むこととなり、1991（平成3）年10月22日からトンネルで貫く新線に切り替えられたのです。

ダムの建設に伴って根室線のルートが変更された区間はもう1カ所あります。富良野駅から南下を続けた根室線の向きが西向きへと変わる金山駅から隣駅の東鹿越駅との間の13.2kmです。開業時の線路は現在よりもさらに南に敷かれていたのですが、空知川に金山ダムがつくられたため、1966（昭和41）年9月30日からいま通っている線路に切り替えられました。それまで用いられていた線路はダムの底に沈みました。

金山駅を出発した列車は12パーミルの坂を登って行きます。長さ215mの金山空知川橋りょうを渡った後、いよいよ山が列車の両側に迫り、トンネルに入りました。長さ2256mの空知トンネルです。トンネルを出るとすぐに橋となり、かなやま湖を渡ります。高くそびえる木々で見え隠れしていたかなやま湖が

○三井芦別鉄道の線路の一部は現存し、写真の炭山川橋りょう上には、かつて用いられた車両が保存されている。

○夏のかなやま湖畔

列車の進行方向左側に見えてきました。上り坂が緩やかになると民家が現れ、東鹿越駅です。

東鹿越駅から先も列車の左右には高い木々が生い茂り、視界は良好ではありません。線路に沿って流れていた空知川がシーソラプチ川とルウオマンソラプチ川とに分かれてつきるころ、列車は落合駅に到着します。

東鹿越駅に到着した普通列車*

日本屈指の車窓風景が見られる区間

落合駅から次の新得駅までの営業キロは28.1kmです。これだけ離れている理由は、間に標高985mの狩勝山が立ちはだかっているからでして、列車は山越えに挑まなくてはなりません。

列車はルウオマンソラプチ川に沿い、それまでの東南東から南へと12パーミルの坂道を登って行きます。この川を渡ると、長さが300mに満たない第四落合トンネルに入り、同時に左に曲がっていつしか列車の向きは東に変わりました。

再びルウオマンソラプチ川を渡った後、新狩勝トンネルに進入します。トンネルに入ったところで、落合駅から4kmほど続いた上り坂は終わり、行き違い可能な線路が現れました。ここは上落合信号場でして、根室線の南側、列車の進行方向右側から石勝線の線路が合流します。一般向けには石勝線と根室線とは新得駅で交わると発表されていますが、実際にはこの上落合信号場が石勝線の終点でして、新得駅までは同じ線路を進むと定められました。

東に一直線に延びる新狩勝トンネルの長さは5648mです。このトンネルを抜けますと、再び行き違い可能な新狩勝信号場が現れ、この信号場を過ぎますと列車は大きく右に曲がり、今度は南を目指します。長さ355mの増田山トンネルを抜けて行き違い可能な広内信

狩勝峠から望む根室線旧線跡からの眺め。日本三大車窓の一つ

別当賀～落石間で根室線は太平洋に沿う。

号場を過ぎたら、列車の進行方向左側に注目しましょう。視界をさえぎっていた木々が途切れ、遠くに新得の町が見えるでしょう。

列車はなおも坂を下り続け、大きく左に曲がって北に向きを変えます。と同時に新得の町の眺めも進行方向右側に移りました。線路は北から北東へと延び、長さ1683mの新得山トンネルを抜けますと向きは南東へ、という具合に目まぐるしく変わります。列車が右に曲がって南を向いたと思ったら新得駅です。

落合～新得間の沿線に広がる景色はとても雄大で、日本でも屈指の車窓として知られています。実をいいますと、1966（昭和41）年9月29日まではいまの線路よりも北側、ちょうど国道38号と並走するような場所に敷かれており、さらに雄大な景色を楽しむことができました。しかし、こう配は25パーミル、最も急なカーブの半径は180mと、難所中の難所であったため、現在の新線に切り替えられたのです。

根室線の列車に乗ったら太平洋の眺めにも注目してください。帯広、池田と主要駅を通

根室駅に建てられた案内表示。根室本線とは国鉄時代の呼び名だ。滝川駅から444.339kmとあるが、根室線がこの営業キロであったことはない。

り、厚内駅を過ぎますと列車の進行方向右側に太平洋の海岸線が迫ります。線路は海岸線を忠実になぞっているとは限りません。ところどころで内陸に入りますが、庶路駅と大楽毛駅との間、それから釧路駅を過ぎて門静駅と厚岸駅との間、別当賀駅と落石駅との間では比較的よく見えるでしょう。

海岸線以外では背の高い木々に視界をさえぎられるなか、市街地が現れました。根室市です。線路はこの町の南側から入り込み、西へと回り込んで根室駅に到着し、長い旅は終わりを迎えます。

JR東日本

五能線

東能代～川部間　[営業キロ] 147.2km

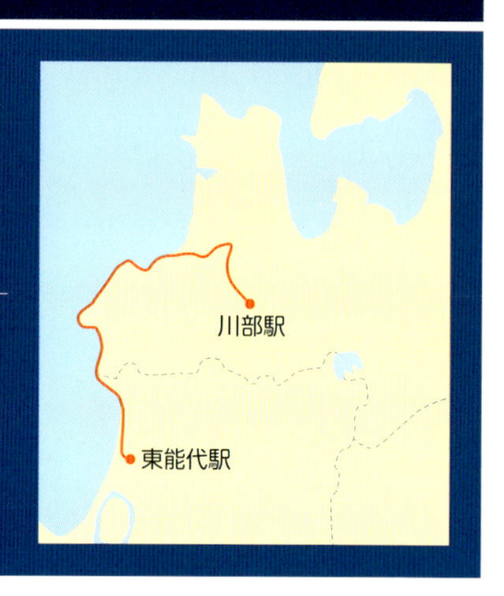

[最初の区間の開業] 1908（明治41）年7月1日／東能代～能代間
[最後の区間の開業] 1936（昭和11）年7月30日／陸奥岩崎～深浦間
[複線区間] なし
[電化区間] なし
[旅客輸送密度] 659人

最高の海岸景色が続く路線

日本は長い海岸線をもつ国ながら、海沿いを走る区間はそう多くありません。潮風を浴び、波の浸食を受けるという条件は鉄道にとって厳しいからです。そのようななか、日本海側の鉄道には、海岸線まで山が迫るという地形上の条件から、海岸線を行く区間が多々見られます。

秋田県能代市の東能代駅から青森県田舎館村の川部駅までを結ぶ、JR東日本の五能線もその一つです。147.2kmの行程中、八森～鰺ケ沢間の81.1kmで日本海に沿って走ります。厳しい環境のもとに線路は敷かれてはいるものの、景色の美しさでは全国屈指の路線です。

奥羽線という幹線の途中駅、東能代駅を出発した列車は5分ほどで能代市の中心となる能代駅に着きます。東能代駅と能代駅との関係は、街外れを通る途中駅と街の中心地を通る枝線との間柄を示した典型的な例です。

東能代駅は1901（明治34）年11月1日に奥羽線が開通したときに開設され、このときは能代駅と名乗っていました。いまの能代駅は現在の東能代駅よりも7年近く遅い1908（明治41）年7月1日、今の五能線の開業と同時に開設されます。このときの駅名は能代町駅です。

○「リゾートしらかみ」青池編成の車内*

○十二湖～陸奥岩崎間の景勝地を行く普通列車

深浦～広戸間に点在する岩だらけの海岸を見ながら「リゾートしらかみ」くまげら編成が行く。*

能代駅と能代町駅とでは区別をつけにくいですし、能代駅が街外れにありながら、街の代表駅を名乗っている点も問題視されたのでしょう。1909（明治42）年11月1日にいまの東能代駅である能代駅は機織駅に、能代町駅は能代駅にそれぞれ改称されました。でも、奥羽線の駅にも「能代」と名乗らせたいと地元では考えられたようです。1943（昭和18）年6月15日に機織駅は東能代駅へと再度、名を改めました。

さて、東能代駅を出発した列車はこの先、東八森駅までは能代平野をたんたんと進みます。夏になればひまわりが一面に咲きほこる様を見ることができるでしょう。

目の前に白神山地が現れるころ、平地はつきて山の斜面は海岸線にまで達します。岩館駅を出発すると、五能線の線路は進行方向左側の日本海、そして同じく右側の白神山地とにはさまれたすき間を窮屈そうに通り抜け、波しぶきが打ち寄せる断崖を通り抜けるのです。

日本海の荒波が浸食した岩だらけの海岸を見下ろしながら列車は坂を登り、峠の手前で青森県に入ります。上り坂は13パーミルのこう配であったのに対し、20パーミルとより傾斜のきつい下り坂の区間では、短いトンネルが続きます。このあたりの線路は大正時代末期から昭和初期にかけてつくられました。工事は困難の連続でして、地盤は弱いうえに風は始終強く吹き荒れ、線路を通すために山地を削っている最中に崩壊事故が起きたほどだそうです。

ようやくたどり着いた大間越駅からしばらくは、いままでと比べていくらか穏やかな表情を見せる海岸線を北上します。陸奥岩崎駅を過ぎると白神山地は再び海岸線に迫り、その様は列車の行く手を阻むかのようです。線路は西へと逃げるかのように断崖を進んでいきます。

日本海の高波と闘ってきた五能線

陸奥岩崎駅から峠越えが始まり、最大で25パーミルにも達するこう配に挑まなくてはなりません。峠はウェスパ椿山(つばきやま)駅のあたりでして、今度は艫作(へなし)駅を経て横磯(よこいそ)駅付近まで下り坂となります。この峠越えにより、艫作崎に向けて突き出した小さな半島の3辺を回り込んで進みました。

深浦(ふかうら)駅を出ると眼下にあった日本海が目の高さに近づいてくることに気づくでしょう。線路際には護岸のための壁が築かれ、その真下が日本海という光景が北金ケ沢(きたかねがさわ)駅付近まで続きます。特に深浦駅から広戸(ひろと)、追良瀬(おいらせ)、驫木(とどろき)、風合瀬(かそせ)の各駅を経て大戸瀬(おおどせ)駅までの間は海岸ぎりぎりの場所を通ります。駅名からもどことなくうかがえるとおり、日本海からの季節風が強そうに感じられ、実際に風が強い日は列車が運休になることもあるそうです。

冬になると季節風が強まり、日本海は荒れ模様となる。深浦〜広戸間を行く普通列車

あきた白神〜岩館間の小入川橋りょうを渡る普通列車

五能線は昔から高波の被害をたびたび受けてきました。特に規模が大きく、また深刻であったのは1972（昭和47）年12月2日の深夜に襲来した低気圧による被害でした。この日、高波によって広戸駅と追良瀬駅との間の護岸(ごがん)擁壁(ようへき)が崩れ、線路を支える盛土が流出してしまいます。この場所を通りかかった朝一番の旅客列車は異変に気づかずに進入し、先頭に立っていた蒸気機関車は海中に転落、後続の2両の客車も脱線し、蒸気機関車に乗務していた機関助士が行方不明となる大惨事となったのです。事故を受け、五能線では気象状況の監視体制が強化され、少しでも異常が感じられたら列車の運転が規制されるようになりました。

北を目指していた列車は鰺ケ沢駅から進路を変えて東へと向かいます。津軽平野を行く列車の進行方向右側には、津軽富士とも呼ばれる岩木山の姿を拝むことができるでしょう。

やがて列車は五所川原(ごしょがわら)市の市街地を通り抜け、広々とした構内をもつ五所川原駅に到着します。津軽鉄道津軽鉄道線の津軽五所川原駅も併設されている駅でして、それまでの荒涼とした風景に慣れていた目には巨大な駅に見えるに違いありません。

五能線とは、五所川原駅と能代駅との間を結ぶことを主眼として誕生した路線です。となりますと、東能代〜能代間、そしてこれから通る五所川原〜川部間は宙に浮いてしまいます。先に説明したように、東能代駅は1908年に開業した当時は能代駅でした。いっぽう、五所川原〜川部間は陸奥(むつ)鉄道という私鉄によって1918（大正7）年9月25日に開通した区間です。1927（昭和2）年6月1日に陸奥鉄道が国有化されて今の五能線に加えられました。

五所川原駅から終点の川部駅に向かって南下する列車の車窓はそれまでとは大きく異なり、沿線にはリンゴの木が広がっています。秋になればたわわに実ったリンゴを見ることができるでしょう。

藤崎駅を出ると終点の川部駅までもうすぐ。普通列車の後方には岩木山がそびえる。

五所川原〜川部間では線路は内陸に敷かれ、沿線にはリンゴ畑が目立つ。

津軽鉄道

津軽鉄道線

津軽五所川原～津軽中里間　[営業キロ] 20.7km

[最初の区間の開業] 1930(昭和5)年7月15日／津軽五所川原～金木間
[最後の区間の開業] 1930(昭和5)年11月13日／大沢内～津軽中里間
[複線区間] なし
[電化区間] なし
[旅客輸送密度] 430人

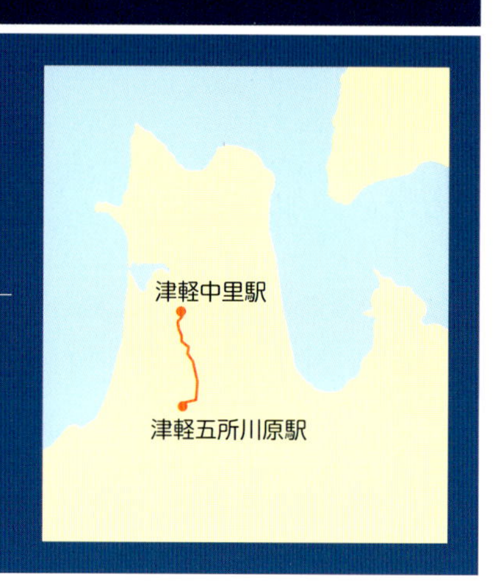

津軽平野の水田地帯を行く

津軽鉄道の津軽鉄道線は津軽五所川原駅を起点としています。この駅はJR東日本五能線の五所川原駅の近くにあり、駅舎は別ですが、1面のプラットホームの両側に敷かれた2本の線路は同じ構内に設置されました。

駅員の合図によって津軽五所川原駅を出発した列車は北に向けて走り出し、すぐに右に曲がって東北東に進みます。平地に敷かれた線路の周囲には五所川原市の市街地が広がっていますが、線路際には水田が目立つのも興味深いところです。

列車はやがてコンクリート製の橋りょうで十川を渡り、十川駅に到着します。この駅は単線の線路に1面のプラットホームが据え付けられただけです。利用者の数が少ないのでしょう。プラットホームは吹きさらしで屋根も設置されていません。

十川駅を出発した列車は向きをほぼ東に変えて一直線に走ります。津軽自動車道の高架橋をくぐり抜けますと線路は左にカーブ。一度直線に戻り、再度左に曲がってほぼ直角に向きを変える途中で五農校前駅に到着です。

この駅も単線の線路に屋根のないプラットホーム1面が据え付けられるにとどまりますが、幅は十川駅のものよりも広くなっています。駅名のとおり、駅の東側には青森県立五所川原農林高校があり、生徒が通学で津軽鉄道線を利用しているからです。

平地を北に向かって走り出した列車の車窓には、引き続き水田が広がります。やがて、線路をおおう雪よけが見えたと思ったら、ポイントとなり、津軽飯詰駅です。この駅は1面のプラットホームの両側に線路が敷かれていますが、いまでは西側の線路しか使用されず、列車同士の行き違いはできません。

津軽飯詰駅を出ますと、線路の両側に立ち並ぶ森林の中を列車は進みます。北海道や東

○津軽五所川原駅はJR東日本五能線五所川原駅のすぐ近くに設けられた。*

○金木駅で行き違う津軽鉄道線の普通列車。太宰治にちなんでディーゼルカーには「走れメロス」と愛称が付けられた。

北のほかの路線でも見られるとおり、こうした森林は自然のものではありません。列車を守るための吹雪防止林（ふぶきぼうしりん）です。特に毘沙門（びしゃもん）駅では線路だけでなく、単線の線路に張り付けられた1面のプラットホームごと吹雪防止林に囲まれていて、列車を降りますと深い森の中にたたずんでいるかのように感じられます。

利用者が少ないことから一部の列車が通過する毘沙門駅を過ぎますと、列車は再び広々とした水田地帯を北上していきます。嘉瀬（かせ）駅を経て、コンクリート製の橋りょうで金木（かなぎ）川を渡りますと、市街地が見えてきました。五所川原市金木町の集落です。なおも進むと、線路は両開き分岐器によって左右に分かれ、2本の線路の両側に1面ずつのプラットホームが設けられた金木駅に到着します。

沿線には昭和の香りが色濃く残る

金木駅の構内が始まる直前、具体的には線路が二手に分かれる前、線路の左側に信号機が建っていたことに気づいたでしょうか。信号機そのものは場内信号機といって、列車が駅に進入してよいかどうかを表示する役割を果たすためのもので、特に珍しくはありません。ところが、津軽鉄道線の信号機をよく見ると、赤色に白色の帯が記された板で信号を表示していることに気づくでしょう。このような信号機は腕木（うでぎ）式信号機と呼ばれます。日本の鉄道では1907（明治40）年にいまの南海電気鉄道が導入したのが初めてで、かつては信号機の大半を占めていました。でも電球などの明かりで信号を表示する色灯（しきとう）式信号機に置き換えられ、現役の腕木式信号機を見ることができるのは全国でも津軽鉄道線だけです。

腕木式信号機による信号の種類は2つ。左側に延びた腕木が45度下向きを指していれば列車は進んでよく、真横を指していれば止まらなければなりません。腕木は水平方向のワイヤーと垂直方向のロッドとで遠隔操作されます。もしもワイヤーが切れた場合、ロッドの端に取り付けられた重りの力でロッドは引っ張られ、腕木は水平方向に保たれますので、事故の心配はほぼなくなりました。

なお、夜間はさすがに腕木が見えませんので、電球などの明かりで表示します。ただし、色灯式信号機とは表示する方法は異なっていて、1灯だけ点灯する白色の明かりに対し、「めがね」と呼ばれる2色の色ガラスがスライドして信号を表示するのです。もちろん、色ガラスは腕木が動くことによってスライドします。腕木式信号機は金木駅のほか津軽五所川原駅にも建てられており、列車に乗ったらぜひとも注目してください。

金木駅のある金木町は太宰治（だざいおさむ）の出身地でもあり、駅から徒歩7分ほど行きますと、生家を記念館とした斜陽館（しゃようかん）があります。入母屋造（いりもやづくり）の斜陽館に展示されているのは、直筆の原稿をはじめ、筆記用具や着用していたマントなど。太宰ファンでもそうでなくても興味はつきません。

停止を示す腕木式信号機

さて、金木駅を出発した列車は北西へと向きを変え、広葉樹林の中に分け入ります。ほどなく単線の傍らに1面のプラットホームが目に入るでしょう。芦野公園（あしのこうえん）駅です。この公園は日本の桜名所100選にも選ばれており、例年4月の末には見事な花を咲かせます。線路の両側に立ち並ぶ広葉樹も実は桜でして、桜並木の中を列車が行く様はまさに夢心地に違いありません。

芦野公園駅を出発した列車は再び進路を北に変え、景色も水田に戻ります。線路は始終平地に敷かれており、起伏があまりないのも特徴です。

太宰治記念館である斜陽館へは金木駅から*

津軽中里駅の駅舎では金多豆蔵人形劇が上演される。

桜の咲く芦野公園駅

津軽鉄道名物、ストーブ列車。石炭ストーブが設けられた客車をディーゼル機関車またはディーゼルカーが引く。

川倉駅、大沢内駅、深郷田駅と、単線に1面のプラットホームが設置された駅を過ぎると、終点の津軽中里駅に到着します。この駅は線路が2本に分かれていますが、実際には1面のプラットホームが置かれた西側の線路しか使っていません。真新しい駅舎内には「津軽伝統　金多豆蔵人形劇場・シアター」が設けられており、毎月第1土曜日には青森県中泊町の無形民俗文化財の金多豆蔵人形芝居の公演が行われます。

津軽鉄道の列車の特徴は、ストーブ列車と呼ばれる一種の観光列車が走っていることです。国鉄から譲り受けた客車の車内には石炭を燃料とするダルマストーブが置かれており、温まることができるほか、スルメイカを焼くこともできます。利用には乗車券のほか、400円のストーブ列車券が必要です。例年12月1日から3月31日までの日中の一部の列車がストーブ列車となっています。

ストーブ列車の車内に置かれた昔懐かしいダルマストーブ*

06

JR北海道

石北線

新旭川～網走間 [営業キロ] 234.0km

[最初の区間の開業] 1912(大正元)年10月5日／北見～網走間
[最後の区間の開業] 1932(昭和7)年10月1日／中越信号場～白滝間
[複線区間] なし
[電化区間] なし
[旅客輸送密度] 1141人

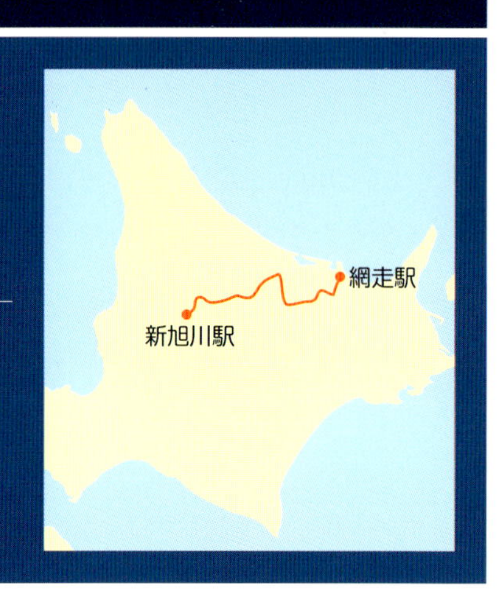

2つの峠越えが魅力の路線

北海道の中心、札幌市と北東部沿岸の主要都市、網走市との間を結ぶ鉄道は1912(大正元)年10月5日に開通しました。しかし、そのルートはいまとはいくぶん異なっています。いまの路線名でいいますと、まずはJR北海道の函館線で旭川へ向かい、同じく富良野線で富良野へ出て根室線で池田に行き、2006(平成18)年4月21日に廃止となった北海道ちほく高原鉄道のふるさと銀河線で北見に出て、最後に今回紹介する石北線で網走へという具合です。つまり、網走へと達する鉄道が完成した時点で石北線は新旭川駅と北見駅との間がまだ開業していなかったことになります。

新旭川～北見間の開業が遅れた謎はこの区間を行く列車に乗るとすぐに理解できるでしょう。石北線の列車は新旭川駅から44.9km離れた上川駅に達しますと、そこから北見駅までの136.1kmにわたって二度も険しい峠越えに挑まなくてはならないからです。そして、これら2カ所の峠越えが石北線の最大の魅力となっています。

上川駅を出発した網走駅方面の列車が最初に遭遇する峠越えに特に名前はつけられていません。列車は留辺志部川沿いの渓谷を分け入りながら12kmほど坂を上っていきますと、いよいよ傾斜はきつくなります。水平方向に

特急「大雪」は旭川～網走間を結ぶ。

JR北海道のキハ40形ディーゼルカーで運転される普通列車

札幌～網走間を結ぶ特急「オホーツク」が常紋越えに挑む。

1000m進むごとに25mの高低差が生じる、25パーミルのこう配の始まりです。半径302mと、特急列車が走る路線では大変きついカーブが7カ所も続けて現れ、急坂でエンジンのうなり音を上げて走るディーゼルカーをさらに苦しめます。

およそ8km続いた25パーミルのこう配がやや緩くなったころ、列車はこの峠越えで初めてとなるトンネルに入ります。長さ4356mの石北トンネルです。トンネルのほぼ中間に来たあたりでしょうか。列車は峠を通過し、一転して下り坂となります。峠部分の標高は644mで、新旭川駅からは530mほど、上川駅からも300mあまり上ってきました。

再び頻繁に現れる半径302mの急カーブを曲がりながら、列車は坂を降りていきます。やや傾斜が緩くなったあたりでようやく人里が見えてきました。白滝駅です。うっそうとした山道ばかりでしたので、急に視界が開けたように感じられます。ところで、白滝駅は上川駅の隣駅ながら、37.3kmも離れています。新幹線を除く国内の旅客鉄道の駅同士では最長の区間です。

百数十人の命が失われた難工事

石北トンネルからの坂を降りきり、遠軽駅に到着します。この駅から再び上り坂が始まりますので、列車を運転する乗務員にとっては息をつく暇もありません。

さて、この駅を出発した列車はいま来た方向とは反対に進んでいきます。いわゆるスイッチバック構造の駅です。スイッチバックとは、険しい坂道の途中に平地を設けて列車を停止させる目的で設置されました。でも、遠軽駅自体は平地にあります。

遠軽駅のスイッチバックは路線が通った順序によるものです。この駅に最初に到達した路線は、北見駅から遠軽駅を経てオホーツク海沿岸の下湧別（しもゆうべつ）（後の湧別）駅までの間を結ぶ湧別軽便（けいべん）線でして、遠軽の町を南北に貫いて1916（大正5）年11月21日に開業します。後に開業した石北線はこの町を東西に貫くほうが都合がよいのですが、元からある遠軽駅を動かせず、スイッチバックとなったのです。なお、遠軽～湧別間は1989（平成元）年5月1日に廃止されました。

常紋（じょうもん）越えと呼ばれる遠軽～北見間の難所は、遠軽駅から3駅目、16.9km先の生田原（いくたはら）駅から本格的に始まります。上川～遠軽間の峠越えと比べて視界はやや開けてはいるものの、それでも生田原駅から約10km先の峠までで現れる最もきついこう配はやはり25パーミルですし、しかもこの間に半径302mの急カーブが14カ所も続くため、日本の鉄道でも指折りの難所と恐れられてきました。

坂をあえぎながら登ってきたディーゼルカーは、峠付近に設けられた常紋越えただ一つのトンネルである常紋トンネル（長さ507m）に進入します。このトンネルを出た途端に始まる下り坂はやはり厳しく、最も急なこう配は25パーミルで、半径302mのカーブも続きます。厳しいこう配、カーブが終わるのは、峠から約10km先の留辺蘂（るべしべ）駅です。

二度にわたる石北線の峠越えは大変な苦労の末に完成しました。どちらも冬になれば氷点下35度にも達する厳しい寒さと大量の積雪に苦しめられましたし、周囲に道すらない人跡未踏の地でしたので、工事関係者の移動や資材の搬入にも手間を要しました。加えて常紋越えでは過酷（かこく）な労働環境によって百数十人もの工事関係者が命を落とし、石北線は完成したものの、大きな傷跡を残したといえます。石北線の列車で2つの峠越えを体験するときは、そうした先人たちの苦労を思い出してください。

遠軽駅では全列車が折り返して向きを変える。

常紋トンネル近くに設けられていた常紋信号場。網走駅側からの上り坂の途中にあるため、スイッチバック構造であった。*

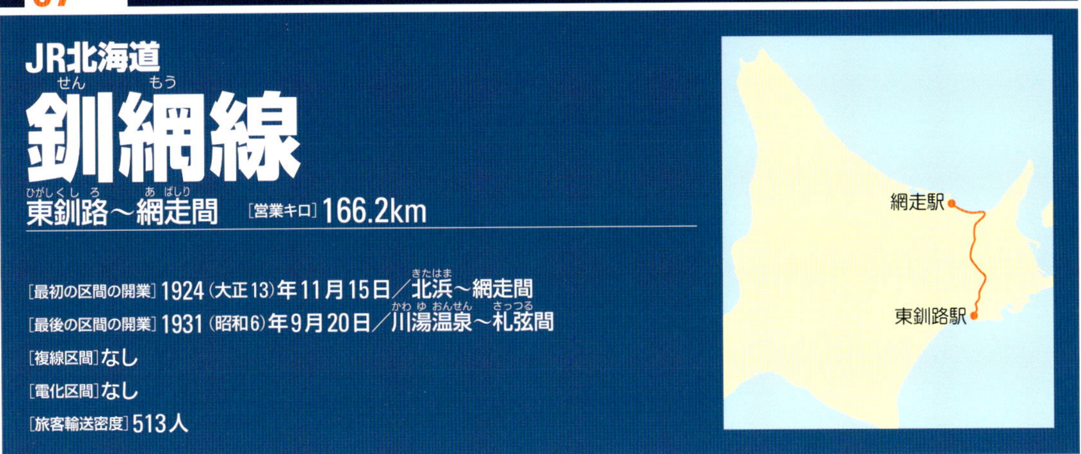

JR北海道

釧網線

東釧路～網走間　[営業キロ] 166.2km

[最初の区間の開業] 1924（大正13）年11月15日／北浜～網走間
[最後の区間の開業] 1931（昭和6）年9月20日／川湯温泉～札弦間
[複線区間] なし
[電化区間] なし
[旅客輸送密度] 513人

湿原の風景に圧倒される路線

JR北海道の釧網線という名称の由来は、釧路から「釧」、網走から「網」と、北海道の道東、道北を代表する両都市から取って付けられたものです。その名のとおり、釧網線の起点はJR北海道根室線の東釧路駅で、終点はやはりJR北海道石北線の網走駅となっています。細かなことをいいますと、起点は東釧路駅で、釧路駅ではありません。でも、実際には東釧路駅を発着する釧網線の全列車は根室線に乗り入れて釧路駅を発着しているので、路線名にうそ偽りはないといえるでしょう。

東釧路駅を出発した列車は、まずはほぼ一直線に北北西を目指してひた走ります。線路の周囲はほとんどが広葉樹林、それから低木ですとか草が生い茂った場所です。

単線に1面のホームが設置された遠矢駅を出発してからも、列車は快調に直線区間を走り続けます。様相が変わるのはおよそ4.5km

釧路湿原を行く釧網線の普通列車

ほど走ったあたりからです。大きく右に曲がると、いままでと同じように広葉樹林が続きますが、列車の左側には釧路湿原が広がっているのです。釧路湿原はだんだんと釧網線をおおうようになり、細岡駅を出ますとところどころで線路の両側とも湿原の光景が展開されます。

行き違い設備をもつ塘路駅を出発しますと、さらに釧路湿原のまっただ中に突入です。列車の左側にはエオルト沼、次いで右側には塘路湖、さらにはシラルトロ沼と水場が多数現れ、湿地帯を進むようになります。木々の背は低くなり、一面に広がる荒れ野はとても迫力のある姿です。釧網線は全体的に見れば、利用者の少ないローカル線ではありますが、シーズンによっては観光客の利用も多く、車内はなかなかの活況をていします。

茅沼と湿原らしい駅ながら、線路の周囲に畑があるのを見ると意外に感じられるでしょう。駅名のもととなった茅沼は線路の東側にありますが、1km近く離れていて列車の窓から見ることはまずできません。

釧路～標茶間を結ぶ観光列車の「SL冬の湿原号」は、JR北海道のC11形蒸気機関車が同社の客車をけん引する。

湿原という地盤の悪いところを行くため、かつて釧網線を築いた人たちは少しでもよい条件の場所を求めて線路を敷きました。この結果、遠矢駅から茅沼駅の先までの30kmほどの区間は急カーブが多くなっています。しかし、その先は直線がちとなり、線路の両側には広葉樹林が目立つものの、畑も見えてきました。そう、釧路湿原を抜けたからです。列車はやがて市街地へと入り、釧網線の沿線でも大きな町の一つである標茶駅に到着します。

沿線では湖・温泉巡りも楽しめる

標茶駅からの道のりは広葉樹林や畑の中を行くというもので、ところどころにカーブはあるというものの、ほぼ真っすぐの道のりです。進む方向は大まかにいって北北西となります。景色はほとんど変わらないなかを列車は走り続け、やがて市街地が見えてきました。列車は北から西北西へと向きを変えて、行き違いのできる摩周駅に入っていきます。

摩周駅は駅名のとおり、透明度の高い湖として知られる摩周湖への観光の拠点となる駅です。この駅はまた、巨大なカルデラ湖の屈斜路湖、マリモで知られる阿寒湖にもアクセス可能で、路線バスが忙しく発着しています。

摩周湖

駅周辺の市街地は温泉地ですので、湖巡りと温泉巡りとで楽しめるでしょう。

それまでは平坦か、坂があっても緩やかであった釧網線の線路は美留和駅を出ますと様子が変わります。次の川湯温泉駅までの間に小高い丘を越え、16.7パーミルの上り坂が現れるからです。ただし景色はそれまでとほとんど変わりはありません。

川湯温泉駅を出発しますと、もう一度峠越えが待ち構えています。今度は最も急で25パーミルの上り坂が6kmほど続くというもの。いままでよりもやや深い広葉樹林の中を列車は走ります。峠に当たる場所には釧北トンネルがあり、くぐり抜けると今度は25パーミルのこう配の下り坂です。この峠がちょうど釧路側と網走側との境界といってよいでしょう。傾斜のきつい下り坂は札弦駅のあたりで終わりを告げます。と同時に線路は再び直線がちとなりました。

オホーツク海を見ながら北浜駅付近を行く普通列車

各所で曲がりながらも北上を続けていた釧網線の線路は知床斜里駅で大きく向きを変え、ここからは西へと進むようになります。線路の周囲は背の低い木ですとか、草地となり、やがて列車の右側にオホーツク海が見えてくるでしょう。オホーツク海は止別駅から北浜駅までの間では見ることができなくなりますが、途中に置かれた臨時駅の原生花園駅から北浜駅の間では列車の左側に濤沸湖が見えるようになります。

さて、北浜駅とその周辺では冬になるとオホーツク海の流氷を見ることができるでしょう。厳しい自然ではありながら、幻想的な光景に目を奪われます。列車は再び広葉樹林の間を走るようになり、やがて終点の網走駅に到着です。

知床斜里～網走間で運転されていた「流氷ノロッコ号」。現在は車両を客車からディーゼルカーに改め、「流氷物語号」として運転されている。

08

JR北海道

留萌線

深川～留萌間 [営業キロ]50.1km

[最初の区間の開業]1910(明治43)年11月23日／深川～留萌間

[最後の区間の開業]—

[複線区間]なし

[電化区間]なし

[旅客輸送密度]151人

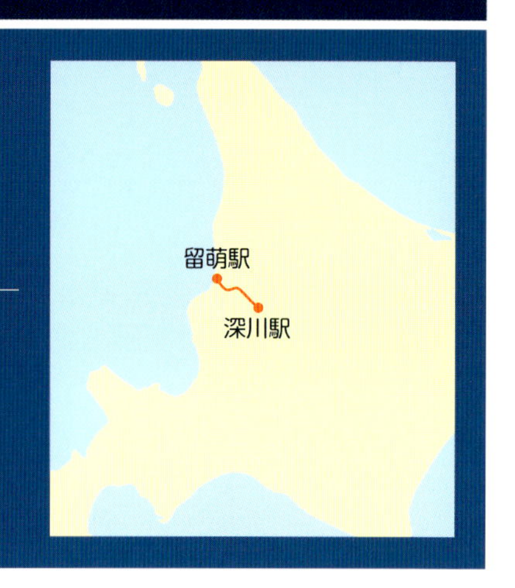

自力で維持できない状況にある路線

JR北海道の留萌線は同じくJR北海道の函館線の深川駅を起点とし、日本海側に面した留萌市にある留萌駅を終点とする50.1kmの路線です。深川駅から留萌駅までの間を地図上で一直線に結びますと、留萌線はおおむね西北西に向かって延びる路線であることがわかります。加えていいますと、直線距離では40kmほどとなるところ、実際の線路の長さは10km程度上回っているので、地形の都合で余計に走っているのです。これは別に留萌線に限らず、新幹線を含めた全国どの路線にも当てはまります。

留萌線がなぜローカル線かといいますと、2015（平成27）年度旅客輸送密度が151人と、本書で掲載の基準としている4000人を下回っているからです。この数値は2016（平成28）年12月5日に営業を廃止した留萌駅と増毛駅との間の16.7kmを含む数値で、深川～留萌間だけの数値はJR北海道によれば2016年度で228人となります。留萌～増毛間の廃止は利用者が少ないからですが、深川～留萌間も予断を許さない状況といってよいでしょう。実際にJR北海道は自力では留萌線を維持できないとのことです。

○留萌線の起点、深川駅

○かつては終点であった増毛駅*

○廃止となる前の留萌～増毛間を行く普通列車。線路は多くの区間で日本海沿いに敷かれていた。

○北一已駅は読み方が難しい。利用者が少ないため、普通列車の一部が通過する。*

深川駅を出た列車は、西南西から東北東に向かって走る函館線に対して、まずは西南西方面へと進み、やがて函館線と分かれて北北東に向かっていきます。ここでいう函館線の西南西方面とは起点の函館駅方で、つまりは札幌駅です。もしもの話をしますと、札幌方面から留萌線に列車を直通させようとしたら、深川駅で折り返す形となっていったん列車の向きを変えなくてはなりません。実際に、国鉄時代に運転されていた札幌発着の留萌線直通の急行列車は深川駅で10分程度停車して折り返していました。ちなみに、急行列車は札幌～留萌間を2時間40分余りで結んでいて、今日札幌駅前ターミナルと留萌ターミナルとの間を結ぶ高速バスの所要時間とだいたい同じくらいです。

石狩平野を行く留萌線は一面の水田のなかを通り抜けていきます。北一已(きたいちやん)駅までの間は、どの道路に対しても線路は平行しているか直角に交わるかのどちらかです。整然と区画が区切られた開拓地域を行くからで、人工的な景色のなかに鉄道も溶け込んでいます。

北一已から先は山があって真っすぐ進めないため、北北東から北東へと向きを変え、道路との関係は崩れてしまいました。しかし、秩父別(ちっぷべつ)駅で列車の向きが北へと変わると、再び道路とは平行するか直角に交わるかというすっきりとした姿に戻ります。もっとも、深川留萌自動車道だけは約30度の角度で斜めに横切られてしまいますが。留萌線もこの高速道路に合わせて北北東に進路を変えた結果、一般道とは斜めに交わるようになります。

雨竜(うりゅう)川を渡りますと、石狩沼田(いしかりぬまた)駅に到着です。この駅にはかつて札沼(さっしょう)線の列車も発着していました。石狩沼田駅のある沼田町は留萌線の途中駅で最も大きな町で、集落の数も目立ちます。

雪におおわれた留萌線の線路*

平地と山あい区間が交互に現れる

石狩沼田駅を出発した列車の周囲に広がる景色は引き続き水田です。でも、平地は恵比島(えびしま)駅を出たあたりで途切れ、山あいの区間となります。とはいっても上り坂は9.1パーミル、下り坂は10.5パーミルがそれぞれ最も急なこう配という峠越えですので、半径300m級の急カーブが多数現れるという点を除けば、そう厳しい条件ではないでしょう。

坂を下って峠下(とうげした)駅からは、留萌川によって形成された狭い平地の中を進みます。山と川との間が狭くなって線路を通せないとなりますと、留萌線は橋りょうを渡って対岸に行かなくてはなりません。留萌線は留萌川を都合9回渡ります。第一から第四までの留萌川橋りょうは峠下駅と幌糠(ほろぬか)駅との間、第五は幌糠駅と藤山駅との間、第六と第七とは藤山駅と大和田駅との間、第八と第九とは大和田駅と留萌駅との間にいずれも架けられました。

橋りょうの架けられ方からも推測できるとおり、この間の景色は似たようなものです。平地が広くなれば水田が見え、狭くなれば広葉樹林であるとか背の低い木や草が生い茂る場所となります。こう配は厳しくはないものの、急カーブの連続する線路を走り、列車は終点留萌駅に到着です。この駅は留萌港の近くに置かれ、駅からさらに先に延びた増毛方面の廃線跡は日本海へと向かっています。

留萌駅でもう一つ注目してほしいのは駅の北側、列車の右側にある三角形の船場公園です。この公園はかつての留萌駅の構内でした。深川駅方から見ますと線路はV字型に広がっています。かつて羽幌(はぼろ)線が分岐した跡で、羽幌線は日本海沿いを北上し、羽幌駅を経由して宗谷(そうや)線の幌延(ほろのべ)駅まで達していたのです。

留萌線の現在の終点、留萌駅*

09

JR北海道

日高線

苫小牧～様似間 [営業キロ] 146.5km

[最初の区間の開業] 1913(大正2)年10月1日／苫小牧～富川間

[最後の区間の開業] 1937(昭和12)年8月10日／浦河～様似間

[複線区間] なし

[電化区間] なし

[旅客輸送密度] 185人

区間の一部が廃線になるか……

JR北海道の日高線は室蘭線の苫小牧駅を起点としています。そして、太平洋沿いに東南東に進み、終点の様似駅へと至る146.5kmの路線でした。

「でした」と過去形にしたのは理由があります。日高線は2015（平成27）年1月7日に発生した高波の被害に遭いました。鵡川駅と様似駅との間の116.0kmでは多くの場所で線路の土砂が流出したそうです。その後もたびたび襲った台風によって不通という状態は続いていました。そのようななか、2016（平成28）年12月になって、JR北海道はこの区間の復旧を断念すると発表したのです。

もともと日高線の旅客輸送密度は2014（平成26）年度で272人と少ないうえ、鵡川～様似間はJR北海道の発表で186人という旅客輸送密度でした。いっぽうで復旧には86億円と、この区間で得られる年間の旅客運輸収入の8000万円に対して100倍以上も要するとあっては、さすがに営業廃止はやむを得ないかもしれません。

それはともかくとして、日高線は苫小牧～鵡川間では営業を続けています。また、鵡川～様似間が正式に廃止となるまでにはまだ時間を要するでしょうし、実際に廃止されたとしても鉄道の痕跡が完全に失われるまでには長い年月を経てからとなるでしょう。したがって、本書では苫小牧～様似間の様子を紹介することとして、日高線の魅力、そしてその苦悩を伝えたいと思います。

○節婦～新冠間で見られる崩壊した線路

苫小牧駅を出発した列車は東北東に進み、岩見沢駅方面に向かう室蘭線の線路とはなかなか分かれません。約7kmの道中では途中に苫小牧貨物駅というJR貨物のコンテナ取扱駅がありますので、実際には日高線は室蘭線と苫小牧～苫小牧貨物間の3.4kmでは重複していることとなります。

室蘭線と分かれた日高線の線路の向きは東南東、次いで南東に変わりました。景色は苫小牧市の市街地から一変し、背の低い木や草が生い茂ったなかとなり、勇払原野とも呼ばれるところです。でも、列車の右側の少し先には工場群が見えており、原野の中という趣はあまり感じられません。

海が線路の手前まで迫ってきた

勇払駅を出発しますと、列車は太平洋に沿って走るようになります。しかし、線路は海岸沿いに敷かれてはいません。少なくとも数百m以上は内陸を走っているのです。

線路の周囲には、背の低い木や草地に混じってときどき広葉樹林が見えてきました。浜厚真駅から先は列車の左側に畑があるのを確認することもできるでしょう。ほぼ平坦でほぼ一直線といった道のりを進み、列車は鵡川駅に到着します。いまのところこの駅から様似駅までの間は列車代行バスが結んでいるという状況です。

鵡川駅を出ますと線路は太平洋に近づき、富川駅の手前で列車は海岸沿いを走るようになります。富川駅は内陸にあるので、東南東に進んできた線路はいったん北東に向きを変えました。でも再び海岸沿いに向かい、日高門別駅を過ぎますと、列車の右側はいよいよ太平洋です。

日高門別駅から東静内駅までの39.6kmの線路はほぼ海沿いに敷かれました。太平洋の波しぶきを直接浴びるほどの場所も見られます。しかし、1924（大正13）年9月6日から1933（昭和8）年12月15日にかけてこの区間が開通したときは、ここまで線路は海に近くはありませんで

○厚賀～大狩部間で普通列車が厚別川を渡る。日高線の橋りょうの多くは河口付近に架けられており、たびたび自然災害に遭ってきた。*

○夕日の中、静内川を行く普通列車*

絵笛駅付近の牧草地帯を走る普通列車*

した。簡単にいえば、時とともに海岸の浸食が進み、いつしか線路の手前まで海岸線が迫ってきたのです。

浸食の原因は国鉄時代から突き止められていました。1952（昭和27）年3月4日に発生した十勝沖地震による海底地殻の変動ですとか地盤沈下が発生したとか、河川の改修によって海に流れ込む水の勢いが増して対流の渦が強大となったからとか、漁港の新設によって海流が変動したからとか、埋め立て用であるとかコンクリート用にと海岸の砂が多量採取されたからなど、理由はさまざまです。浸食は年間に数mほど進みましたので、国鉄は海岸に消波ブロックを置いたり、護岸擁壁を築くなどの対策を施しました。

こうしたなか、清畠駅と厚賀駅との間では1952年から1959（昭和34）年にかけて海岸の浸食が97mも進んだ結果、どうにも線路を守れなくなってしまいます。そこで国鉄は線路を内陸に移設したのです。

東静内駅を出ますと、日高線の線路は内陸へと迂回する箇所が多々現れます。理由は2つありまして、一つは海岸線まで山が迫るという地形のために細い谷間を縫って大回りしたから、もう一つは内陸にある集落を結ぶためです。内陸を通ったことで海による浸食から逃れることができました。しかし、距離は延び、こう配区間も現れましたから、スピードアップという面では不利かもしれません。

四方を海に囲まれた日本では日高線のような悩みをもつ路線は数多く存在します。今後、どのような対策を施すかで鉄道の姿は変わっていくことでしょう。そうしたさまざまな課題を考えさせながら、日高線の終点、様似駅に到着しました。

放牧された馬を見ながら普通列車は走る。*

10

JR東日本

花輪線

好摩～大館間 [営業キロ] 106.9km

[最初の区間の開業] 1914（大正3）年7月1日／扇田～大館間

[最後の区間の開業] 1931（昭和6）年10月17日／田山～鹿角花輪間

[複線区間] なし

[電化区間] なし

[旅客輸送密度] 400人

厳しい峠越えが続く

JR東日本の花輪線は、IGRいわて銀河鉄道いわて銀河鉄道線の好摩駅を起点とし、JR東日本奥羽線の大館駅を終点とする路線です。営業キロは106.9kmありまして、今回紹介する北東北のローカル線のなかでは五能線の147.2kmと並んで100kmを超えています。それだけに、やはりさまざまな魅力をもっているのです。

南南西から北北東に向けて敷かれたいわて銀河鉄道線に対し、花輪線は西北西に向けて分かれていきます。好摩トンネルを抜けて北北西、そして西へと線路は向きを変えるなか、周囲の景色は広々とした水田におおい尽くされているといってよいでしょう。

様相が一変するのは松尾八幡平駅からです。線路の周囲から水田の姿は消し、代わりに広葉樹林が現れます。と同時に上り坂が始まり、列車は33.3パーミルもの急こう配に挑まなくてはなりません。向きを変える以外は比較的直線がちであったこれまでと比べ、カーブの数も増えてきました。カーブは半径300mほどのきついものが右、左、右と規則的に登場し、行く手を阻みます。

国鉄時代の昭和40年代の半ばまで、この上り坂を克服するため、貨物列車に対して蒸気機関車が3両連結されていました。蒸気機関車は貨車の前に2両、後ろに1両

○今日の安比高原駅付近を登る8620形蒸気機関車の三重連列車（1970年ごろ） 朝日新聞社提供

紅葉の中を走る普通列車

という組み合わせで、それぞれに機関士、機関助士が乗務し、気笛で合図を送りながら操縦していたそうです。今日用いられているJR東日本のキハ110系というディーゼルカーは出力420馬力のディーゼルエンジンを搭載し、軽やかに坂を上っていきます。

厳しい峠越えは約7km先の安比高原(あっぴこうげん)駅までです。ここからは上りと同じように33.3パーミルの下り坂が始まり、約5km先の赤坂田(あかさかた)駅まで続きます。景色は相変わらず深い森のままです。

周囲に山が迫ってきているという違いはあるものの、好摩～松尾八幡平間に似て、水田のなかを列車は駆け抜けていきます。荒屋新町(あらやしんまち)駅まで来ますと、線路は再び森の中となり、同時に峠越えのスタートです。

荒屋新町駅と田山(たやま)駅との間の坂道は約12kmほど。途中の横間(よこま)駅と田山駅との間にある藤倉トンネルまでの約6kmが上り坂で、列車は25パーミルのこう配に挑みます。

雪におおわれた湯瀬温泉駅

田山駅に着くころになりますと、再び視界が開けてきました。とはいえ、奥羽山脈に深く分け入ってきましたので、列車の左手には標高791mの朝日山、右手には標高756mの天狗森(てんぐもり)という山々がそびえます。

米代川の14の橋を渡る

田山駅から終点の大館駅までの間の線路は、日本海に注ぐ米代川に沿って敷かれました。特に田山駅と八幡平駅までの間の15.1kmの区間では、秋田県でも有名なこの大河が形成した狭い谷地を通り抜けていくため、何度も米代川を渡っていきます。その数は何と14。第一米代川橋りょう、第二……と名付けられた橋りょうは第一から第六までの6カ所の橋りょうが田山駅と兄畑駅との間に、第七から第十までの4カ所の橋りょうが兄畑駅と湯瀬温泉駅との間に、第11から第14までの4カ所の橋りょうが湯瀬温泉〜八幡平間に、それぞれ架けられているという次第です。なお、米代川を渡る橋りょうは終点大館駅までさらに2カ所設けられました。1カ所は十和田南駅と末広駅との間にある第15、もう1カ所は扇田〜東大館間の第16の各米代川橋りょうです。

八幡平駅に着きますと、線路の周囲はかなり開けてきました。米代川の浸食によって形成されたと考えられる花輪盆地に達したからです。線路の周囲には高い山々がそびえている状況は変わりません。でも広々とした盆地につくられた市街地や水田を見ると、山あいということを忘れてしまいます。

列車は、花輪盆地のなかでも都市化が進んだ鹿角花輪駅を経てなおも北上を続け、花輪盆地北端の十和田南駅に到着しました。この駅は石北線の遠軽駅と同じように行き止まりになっていて、大館・好摩方面とも列車は常に向きを変える必要があります。

十和田南駅周辺は平坦な場所にあるにもかかわらず、なぜこう配区間に見られるスイッチバックが設けられたかははっきりしていません。有力な説としては、線路をさらに東北東に約45km先にある青い森鉄道青い森鉄道線の三戸駅まで到達させる計画があったからといわれます。なお、「十和田南」という駅名から十和田湖が近くにあるように感じられますが、この駅から湖畔までの距離は約20kmです。かつては十和田南駅と十和田湖との間を結ぶバス路線がありましたが、いまは廃止となりました。

列車はおおむね盆地のなかを走ります。水田や市街地が織りなす景色のなかを進み、終点大館に到着です。

米代川*

国鉄時代には、十和田南駅と十和田湖との間を「とわだこ号」というバス路線が結んでいた。*

JR東日本

山田線

盛岡〜釜石間　[営業キロ] 157.5km

[最初の区間の開業] 1923（大正12）年10月10日／盛岡〜上米内間
[最後の区間の開業] 1939（昭和14）年9月17日／大槌〜釜石間
[複線区間] なし
[電化区間] なし
[旅客輸送密度] 248人

2019年に宮古〜釜石間は譲渡される

JR東日本の山田線は盛岡駅を起点とし、釜石駅を終点とする157.5kmの路線です。盛岡駅には、JR東日本の路線ですと東北線、東北新幹線、田沢湖線、それからIGRいわて銀河鉄道いわて銀河鉄道線が集まります。いっぽう、終点の釜石駅はJR東日本の釜石線もこの駅が終点です。

山田線の起点と終点は本稿を執筆した2018（平成30）年4月現在の状況であり、2019（平成31）年3月23日からは変更となります。起点は盛岡駅で同じながら、終点は宮古駅となり、営業キロも102.1キロに短縮されるのです。

宮古〜釜石間55.4kmはどうなるのでしょうか。三陸鉄道に譲渡されまして、リアス線として新たなスタートを切ることとなりました。「山田線のうちに乗っておこう」と考える向きもあるかもしれませんが、残念ながら夢は叶いません。この区間は2011（平成23）年3月11日に発生した東日本大震災で津波の被害を受け、以来ずっと運休中です。

復旧については沿線の自治体などと話し合いが行われ、BRT（Bus Rapid Transit。バス高速輸送システム）への転換も候補に上るなか、鉄道の姿を維持して元に戻ることが決まりました。ただし、ルートは変わらないものの、線路や構造物のつくりは山田線時代とは異なるものとなり、様相は一変します。したがってこの区間の解説は省きましょう。

南東から北西へと線路が敷かれた盛岡駅を北西に出発した山田線の列車は、田沢湖線やいわて銀河

○東日本大震災で大きな被害を受けた山田線の宮古〜釜石間。宮古駅と磯鶏駅との間に架けられた第34閉伊川橋りょうも橋げたが流されてしまった。

鉄道線の線路と並んで走り、やがて北東に向きを変えて北上川を渡ります。山岸駅を過ぎますと盛岡市の市街地は尽きてしまいました。いよいよ北上山地越えが始まり、宮古市にある蟇目駅まで、実に90km近くもの間、延々と急なこう配区間が続きます。

列車の周囲に迫るのは北上山地の山々です。窓の外に見えるのはおおむね広葉樹林。ほかに背の低い草木、ときおり水田や畑といった具合です。

線路は米内川によって形成された狭い谷の合間を縫うように敷かれています。上り坂は峠となる区界駅までの間の約31km。こう配は上米内駅までの間はところどころで25パーミルが現れ、上米内駅を出ますとほぼ25パーミルの急坂ばかりとなります。

トンネルと橋がひたすら続く路線

谷間がいかに狭いかは並走している米内川に架けられた橋りょうの数からもわかるでしょう。橋りょうは17カ所あり、すべて上米内～区界間に架けられました。

列車が上米内駅から4kmほど進みますと、行く手に多数のトンネルが現れます。こちらは21カ所あり、なかでも長いトンネルは14番目にくぐる第一浅岸トンネルの1183m、19番目にくぐる第一飛鳥トンネルの2263m、21番目にくぐる第三飛鳥トンネルの1114mです。興味深いことに第一浅岸、第三飛鳥の両トンネルは新しい谷へと移動する役割を担っており、第一浅岸トンネルを通り抜けますと中津川、第三飛鳥トンネルを通り抜けますと、閉伊川へと、それぞれ流れる川が変わります。

上米内～区界間25.7kmのうちトンネルが

紅葉の中を走る普通列車*

○平坦区間とこう配区間との境目に設けられた上米内駅

○山田線の実質的な終点、宮古駅

占める割合はおよそ4割の約9kmです。1928（昭和3）年9月25日に開通したこの区間の建設工事は1922（大正11）年6月に始められ、およそ6年の歳月を要しました。建設工事は困難を極め、トンネルを掘削中に起きた崩落事故などで23人もの犠牲者を出したそうです。

中津川に沿って進む列車は米内川と同じく各所でこの川を渡ります。橋りょうの数は7カ所です。

長らく続いた上り坂は区界駅でようやく終わります。この駅の標高は東北地方の鉄道では最も高い744mです。盛岡駅の標高は125mですから、35.6kmで619m上ってきたことになります。この間の平均こう配は17パーミル余りですから、大変なこう配路線ということがわかるでしょう。

区界駅を出ますと25パーミルの下り坂が始まります。狭い谷間を行く光景は相変わらずで、閉伊川を渡る橋りょうは宮古駅の2駅手前の花原市駅までありまして、その数は何と33カ所です。第○閉伊川橋りょうは、第一から第三までの3カ所が区界駅と松草駅との間に、第四から第11までの8カ所が松草駅と平津戸駅との間、第12から第16までの5カ所が平津戸駅と川内駅との間、第17から第21までの5カ所が川内駅と箱石駅との間、第22の1カ所が箱石駅と陸中川井駅との間、第23から第29までの7カ所は陸中川井駅と腹帯駅との間、第30から第33までの4カ所が茂市駅と蟇目駅との間に架けられています。これらのうち、陸中川井駅までに架けられている橋りょうは長さが皆100m以内で、陸中川井駅からは100mを越えるものが現れ、最長は第31閉伊川橋りょうの233mです。宮古港にある河口に近づくにつれ、閉伊川の川幅が広くなることがわかるでしょう。

○桜の中を走る普通列車*

列車は千徳駅のあたりから宮古市の市街地を進みます。やがて左手に三陸鉄道北リアス線の線路が見えてくると終点の宮古駅です。

12

JR東日本

釜石線

花巻～釜石間 ［営業キロ］90.2km

［最初の区間の開業］1913（大正2）年10月25日／花巻～土沢間
［最後の区間の開業］1950（昭和25）年10月10日／足ケ瀬～陸中大橋間
［複線区間］なし
［電化区間］なし
［旅客輸送密度］843人

蒸気機関車の行く手を阻んだ山岳区間

JR東日本の釜石線は東北線の花巻駅を起点とし、山田線の釜石駅を終点とする90.2kmの路線です。東北線、山田線ともJR東日本が旅客運送事業を行っています。

岩手県内には東北線と三陸海岸との間を結ぶ路線は3つ。北から順に山田線、この釜石線、大船渡線です。大船渡線もJR東日本が旅客運送事業を実施しています。

いま挙げた3路線はいずれも山地を通るために複数の峠越えがあり、蒸気機関車で列車が運転されていた国鉄時代には、行く手を阻まれるという表現がふさわしいほど、難所でした。現代では強大な出力を誇るディーゼルカーが軽やかに坂を上り下りしますが、それでも山々の姿は蒸気機関車が走っていた時代とは変わっていません。

南北方向に敷かれた東北線に対し、釜石線の列車はまずは北に走り、次いで北東へ、そして東北東に進みます。瀬川を渡りますと花巻市の市街地は途切れ、線路の周囲は水田となりました。釜石自動車道の花巻空港インターチェンジが列車の左側に見えてきたら似内駅です。

この駅を出て北上川を渡ると、列車の前方にJR東日本の東北新幹線の巨大な高架橋が見えてくるでしょう。釜石線はその高架橋に吸い込まれるように走り、交差地点で停車します。ここが新花巻駅です。東北新幹線の駅は立派ですが、釜石線の駅は単線に幅の狭いプラットホームを1面だけ張り付けた簡素なつくりとなっています。

新花巻駅を出発した後の釜石線の景色は大部分が水田です。様子が変わってくるのは晴山駅を出てから。猿ヶ石川沿いの谷間を走るようになりますと、水田は徐々に姿を消します。そして、列車の左側には山の斜面に植えられた

○宮守～柏木平間で宮守川を渡る。アーチ橋の宮守川橋りょうは地元ではめがね橋ともいう。*

花巻～釜石間を観光列車の「SL銀河号」が行く。

遠野の田園を走る普通列車*

針葉樹林や広葉樹林が、右側には猿ヶ石川が目に入るでしょう。と同時に上り坂も始まり、傾斜も岩根橋駅に近づくころには20パーミル、宮守駅を出ますと25パーミルと厳しくなっていきます。上り坂の長さは晴山駅から13kmほど。宮守駅から次の柏木平駅に向けて4kmほどのところまで続きます。

猿ヶ石川沿いの谷間には変わりはないものの、坂を下りきった鱒沢駅のあたりからは列車の周囲に水田の姿が戻ってきました。平地は荒谷前駅を過ぎますといっそう広くなり、カーブの数も減っていきます。いままで並走してきた猿ヶ石川を渡りますと市街地に入り、列車は遠野駅に到着です。

遠野駅のある岩手県遠野市は柳田國男が著した『遠野物語』に名を残します。ここ遠野を中心とした民話を集めた同書のなかでも河童の伝説はよく知られているでしょう。遠野市にも河童がいるとのいい伝えがあるカッパ淵がありまして、遠野駅から北東におよそ4kmの道のりです。

遠野ふるさと村*

遠野駅を出ると……

列車が遠野駅を出ますと切り通しの区間となり、いくつかの跨線道路橋をくぐっていきます。これらのなかで最初にくぐる鋼鉄製の桜木橋はずいぶんと小ぶりで、ディーゼルカーに対して左右、上空とも余裕はほとんどありません。釜石線を電化しようとした場合、確実に架け替える必要が生じるでしょう。

なぜこれだけ断面が小さいのかははっきりとしませんが、かつて走っていた車両が小さかったからだと考えられます。というのも、今日の釜石線の花巻駅と足ケ瀬駅との間は岩手軽便鉄道によって敷設された区間で、この鉄道は軌間、つまり2本のレールの間隔が0.762mと狭く、細身で背の低い車両が走っていたと推測されるのです。

列車の左右に水田の広がるなか、足ケ瀬駅から先は再び山あいの区間となり、手前に広葉樹林、奥に針葉樹林という景色のなかを進みます。すでに上り坂は遠野駅の次の青笹駅の手前から始まっており、最も急なところで22パーミルという上り坂が13kmほども続くのです。

釜石線2つ目の峠越えの上り坂は足ケ瀬駅を出て1kmほどの場所で終わります。次いで現れる急な下り坂の長さは18kmほど。最も急なこう配も25パーミルと大変険しく、この下り坂こそ釜石線最大の難所です。

1950（昭和25）年10月9日までの釜石線には足ケ瀬駅から3.9km先の仙人峠駅までの線路がありました。仙人峠駅の場所は国道283号の仙人トンネルの入口あたりです。花巻駅からの釜石線は仙人峠駅が終点で、何と旅客は仙人峠を徒歩で越え、荷物はリフトに載せられて陸中大橋駅まで行かなくてはなりませんでした。山が険しすぎて鉄道を通せなかったからです。

しかし、あまりに不便なうえ、1948（昭和23）年にアイオン台風が襲来して山田線が不通となり、釜石が陸の孤島となってしまいます。このため、足ケ瀬駅から上有住駅を経て陸中大橋駅までの12.5kmの線路を急きょ建設したのです。とにかく急いで接続したためにこう配は25パーミル、陸中大橋駅の手前でほぼ180度曲がるといった具合の最も急なカーブは半径250mでして、しかも長さ2975mの土倉トンネルをはじめ、大多数をトンネル区間として開通までこぎ着けました。

急な下り坂は釜石駅の一つ前の小佐野駅まで続きます。列車は甲子川沿いの谷間を進み、ようやく釜石駅が見えてきました。

○陸中大橋駅を通過する快速「はまゆり」＊

弘南鉄道

弘南線　弘前～黒石間　[営業キロ] 16.8km
大鰐線　大鰐～中央弘前間　[営業キロ] 13.9km

[最初の区間の開業] 1927（昭和2）年9月7日／弘前～津軽尾上間（弘南線）
1952（昭和27）年1月26日／大鰐～中央弘前間（大鰐線、全通）
[最後の区間の開業] 1950（昭和25）年7月1日／津軽尾上～黒石間（弘南線）
[複線区間] なし
[電化区間] 弘前～黒石間／直流1500ボルト（弘南線）
大鰐～中央弘前間／直流1500ボルト（大鰐線）
[旅客輸送密度] 2434人（弘南線）　621人（大鰐線）

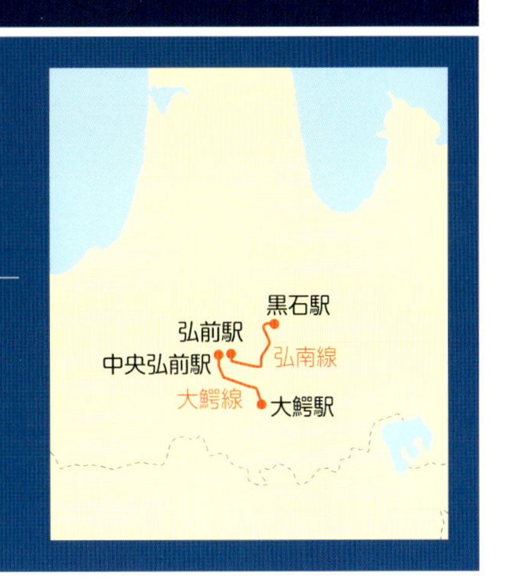

弘南線、大鰐線は立派な通勤路線

弘南鉄道がローカル線として取り上げられると聞いて、違和感を覚える方も多いかもしれません。特に日ごろ利用している方々、沿線にお住まいの方々など関係各位にとってはひとしおでしょう。

現実に、弘南鉄道は人口17万人ほどと、青森県内では青森市、八戸市に次ぐ都市である弘前市を走っており、乗ってみれば都心部と郊外とを結ぶ通勤路線といえます。全線単線ではあるものの、電化されており、首都圏や京阪神圏でよく見られるステンレス鋼製の電車が30分おきに走るので都会的です。

とはいうものの、2015（平成27）年度の旅客輸送密度は2路線から成る弘南鉄道全線で1613人でしたから、本書に掲載する基準を満たしています。内訳も弘南線が2434人、大鰐線で613人です。

弘南線はJR東日本奥羽線の弘前駅を起点とし、青森県黒石市の黒石駅を終点とする16.8kmの路線です。奥羽線の弘前駅の構内に併設された弘南線の弘前駅は、2本の線路の間に1面のプラットホームというつくりです。弘前駅を出た弘南線の列車は、南南東から北北西へと敷かれた奥羽線に対して南南東に向けて進み、奥羽線に対して西南西へと分かれたと思う間もなく弘前東高前駅に到着します。

運動公園前駅を出ますと、景色は一変して水田ばかりとなりました。そのようななか、比較的新しい住宅が列車の左側に見えてきますと、単線は2本の線路に分かれ、行き違いが可能な新里駅に到着します。この

○黒石駅に停まる弘南線の普通列車＊

駅には蒸気機関車が保存されていて、列車の左側に見えるでしょう。

蒸気機関車は8620形48640号機といいまして、元はJR東日本の前身の国鉄で用いられていました。製造は1921（大正10）年9月で、宮城県の仙台や福島県の会津若松、岩手県の盛岡と東北地方の各機関区で旅客列車や貨物列車の先頭に立っていたのです。五能（ごのう）線での活躍を終えて1973（昭和48）年6月に引退後、青森県の鰺ヶ沢（あじがさわ）町役場前に保存されていたところ、弘南鉄道が引き取ることとなり、2011（平成23）年11月にこの駅にやって来たそうです。

引き続き水田の中を進むとやがて列車は左に曲がり、それまでの東から北へと向きを変えました。カーブを曲がり終えるころには線路の周囲は市街地となり、平賀（ひらか）駅に到着です。

平賀駅は2本の線路のそれぞれ外側に2面のプラットホームをもつ駅で、ほかにも列車の左側には車庫も設けられました。何よりも目立つのはプラットホームをおおうように建てられた4階建てのビルです。このビルは1階が駅舎、そして共同で使用する津軽（つがる）みらい農業協同組合（JA津軽みらい）の平賀支店、2階は弘南鉄道の本社、3・4階はJA津軽みらいの事業所などという具合に建てられました。

ビルのトンネルを出た列車は再び水田の中を走ります。ときおりリンゴ畑が現れるのがいままでと違うところでしょうか。線路はほぼ平坦（へいたん）で坂らしい坂が見当たりません。

津軽尾上（つがるおのえ）駅と次の尾上高校前駅との間には高架橋が設けられています。正式には高架橋とは川や道路などを連続して越えるものですが、この高架橋は背が低いので、川はともかく車道は越えていません。本来ならば盛土とするところ、少々高いので橋りょうとしたようです。

やがて弘南線の性質を物語る駅が現れます。田んぼアート駅です。この駅のある田舎館（いなかだて）村は、色の異なる稲を田に植えて絵を描く田んぼアートに力を入れておりまして、田んぼアート駅の近くでも工夫をこらした作品が展示されています。駅は冬の間は閉鎖されますが、イベント開催時には列車が臨時停車するそうです。

北北東に走ってきた列車は浅瀬石（あさせいし）川を渡ると東南東に向きを変え、市街地の中を進みます。ほどなく終点の黒石駅です。

○平賀駅の駅舎は4階建てのビルだ

○平賀駅のプラットホーム。ビルの1階を通り抜ける。

田舎館村の田んぼアート*

大鰐線の旅客は学生が主役

大鰐線の起点、中央弘前駅は弘前駅の西に約1km離れた場所にあります。弘前駅からですと少々わかりづらく、初めてですと迷ってしまうかもしれません。

中央弘前駅を出た列車は弘前市の市街地を走ります。弘高下、弘前学院大前、聖愛中高前と学校の名の付く駅が続くところが、大鰐線の旅客がどのような人たちか想像でき、また弘前市の特徴を表しているといえるでしょう。

千年駅を出て大和沢川を渡りますと、市街地から水田、リンゴ畑へと変わります。南南東から東南東へと向きを変えた列車は津軽大沢駅に到着です。この駅には車庫が設けられています。

義塾高校前を出ますと列車は東に向きを変え、高架橋を上り始めます。と思うと奥羽線の複線の線路を斜めに越えていくのが見えるでしょう。奥羽線を渡り終えましたら列車は南東に進み、石川駅に到着です。同名の駅は奥羽線にもありますが、直線距離で1kmほど離れています。乗り換えるのならば義塾高校前駅のほうが直線で300mほどと近いです。

石川プール駅を出て平川を渡ると列車は南南東に進みます。景色は駅周辺は市街地、駅と駅との間は水田といったところ。宿川原駅を出ますと列車の右手に平川が寄り添い、しばらく行くと終点、大鰐駅に到着です。この駅は奥羽線の大鰐温泉駅と同じ構内にあり、乗換は跨線橋を伝って行けます。

大鰐線の普通列車が平川を渡る。

14

秋田内陸縦貫鉄道

秋田内陸線

鷹巣～角館間　[営業キロ] 94.2km

[最初の区間の開業] 1934（昭和9）年12月10日／鷹巣～米内沢間
[最後の区間の開業] 1989（平成1）年4月1日／比立内～松葉間
[複線区間] なし
[電化区間] なし
[旅客輸送密度] 286人

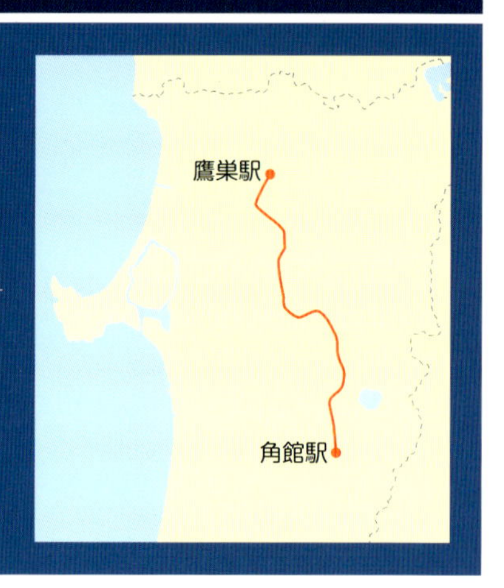

秋田内陸線の歴史は複雑

JR東日本奥羽線の鷹ノ巣駅構内の鷹巣駅を起点とし、やはりJR東日本の角館駅を終点とする路線を秋田内陸縦貫鉄道の秋田内陸線といいます。営業キロは94.2kmあり、文字どおり秋田県の内陸を南北に縦断する鉄道です。

秋田内陸線は1986（昭和61）年11月1日にまずは鷹巣駅と比立内駅との間の46.0kmと角館駅と松葉駅との間の19.2kmとが開業しました。残る比立内～松葉間が1989（平成元）年4月1日に開業するまで、鷹巣からの区間は北線、角館からの区間は南線と呼ばれ、全線が1本のレールで結ばれたのを機に秋田内陸線と改められています。

三陸鉄道と同じく、秋田内陸縦貫鉄道も国鉄の特定地方交通線から転換された区間と、新たに建設された区間とで成り立つ鉄道事業者です。秋田内陸線の歴史はやや複雑で、説明が必要でしょう。

もと北線と呼ばれていた秋田内陸線の区間は、国鉄時代には阿仁合線と称していました。このうち、鷹巣駅と米内沢駅との間の15.1kmは1934（昭和9）年12月10日に開業しています。阿仁合線は短い間に延伸を続け、翌

○新緑の中を走るAN-8800形ディーゼルカー＊

○国鉄の阿仁合線であった1968年9月、小渕駅にいまも見られる日本庭園が設置された。朝日新聞社提供

1935（昭和10）年11月15日には米内沢駅と阿仁前田駅までの10.2kmが、さらに1936（昭和11）年9月25日には阿仁前田駅～阿仁合間がそれぞれ開業を果たしました。阿仁合には金、銀、銅をそれぞれ産出する鉱山があり、これらを運ぶ交通機関が必要とされたため、鉄道が整備されたそうです。

その後少し間が空きまして、阿仁合～比立内間は1963（昭和38）年10月15日に開業しました。国鉄は同じころ、1964（昭和39）年10月1日の開業を目指して東海道新幹線の建設工事を進めておりまして、阿仁合線の延伸に当たっては人手不足で工事が遅れ気味であったそうです。

いっぽうのもと南線と呼ばれていた区間は1970（昭和45）年11月1日に角館～松葉間が角館線として一度に開業を果たしました。引き続き、比立内駅を目指して建設工事が進められ、1981（昭和56）年11月までには線路の大部分が完成しました。しかし、国鉄の財政事情が悪化したことと、角館線そして阿仁合線とも利用者が少ないことから廃止の対象となったために、開業は凍結されてしまいます。結局、阿仁合線と角館線とは第三セクター鉄道の秋田内陸縦貫鉄道に引き継がれることとなり、未開業であった比立内～松葉間の建設工事も再開されて、1989（平成元）年4月の全線開業を迎えた次第です。

大又川橋りょうからの渓谷の眺めは絶景

鷹巣駅を出発した列車は奥羽線の福島方面に向かって西南西に走り出し、すぐに南南西に向きを変えて北秋田市の市街地を走ります。市街地は鷹巣駅の次の西鷹巣駅まで。ここから先の景色は小ケ田駅までは主に水田、小ケ田駅から先は主に針葉樹林の中を行きます。また、駅周辺は市街地です。

米内沢駅を出ますと水田地帯に戻ります。

○紅葉の大又川橋りょうを渡る普通列車*

と同時に列車の右側には阿仁川が見えてきました。このあたりではまだ下流の平地といった趣ですが、徐々に平地は狭くなり、阿仁川によって形成された谷間を行くようになります。と同時に線路は上り坂一辺倒となり、それほど急坂ではないものの、ところどころに20パーミルのこう配の上り坂に挑まなくてはなりません。

小渕駅周辺で広々とした水田が現れますが、基本的に景色は針葉樹林です。木々の背丈は高く、遠くを眺めることはなかなかできません。

阿仁合駅を過ぎますと谷間はいよいよ深くなり、線路の周囲はちょっとした渓谷の趣を漂わせてきました。萱草駅を出まして、南東に進んでいた列車が南南西へと向きを変えたと思う間もなく、列車は阿仁川を渡ります。ここに架けられている橋の名は大又川橋りょうといいまして、比較的高い場所からの渓谷の眺めは絶景です。秋田内陸縦貫鉄道も景勝地であることをアピールするため、時間帯によって大又川橋りょう上で列車は徐行したり、停車したりすることもあるといいます。

列車が比立内駅を出ますと、さすがに昭和40年代以降に建設工事が進められたことがよくわかるでしょう。景色は相変わらずの針葉樹林にときおり水田が現れるという状況ながら、直線がちとなり、長大なトンネルで山々を通り抜けていくからです。なかでも最も長いのは、阿仁マタギ駅と戸沢駅との間にある十二段トンネル。長さは5697mあります。

高さおよそ5m前後でしょうか。比較的規模の大きな上桧木内駅周辺の盛土を列車は快調に進みます。線路の周囲は水田が目立ってきました。この傾向は国鉄時代に開業していた松葉駅から先でさらに強まっていくのがわかるでしょう。

長らく続いた谷間は八津駅を過ぎたころには終わり、横手盆地が現れます。南に進んでいた列車の左側に田沢湖線、そして秋田新幹線が近づきました。秋田内陸線は田沢湖線の北側を一緒に進み、終点の角館駅に到着です。

水田地帯を走る普通列車*

住宅や水田が広がるなかを秋田内陸線の線路は一直線に通り抜ける。*

三陸鉄道

北リアス線 宮古～久慈間 [営業キロ]71.0km
南リアス線 盛～釜石間 [営業キロ]36.6km

[最初の区間の開業]1972(昭和47)年2月27日／宮古～田老間(北リアス線)
1970(昭和45)年3月1日　盛～綾里間(南リアス線)
[最後の区間の開業]1984(昭和59)年4月1日／田老～普代間(北リアス線)
1984(昭和59)年4月1日／吉浜～釜石間(南リアス線)
[複線区間]なし　[電化区間]なし
[旅客輸送密度]438人(北リアス線)　268人(南リアス線)

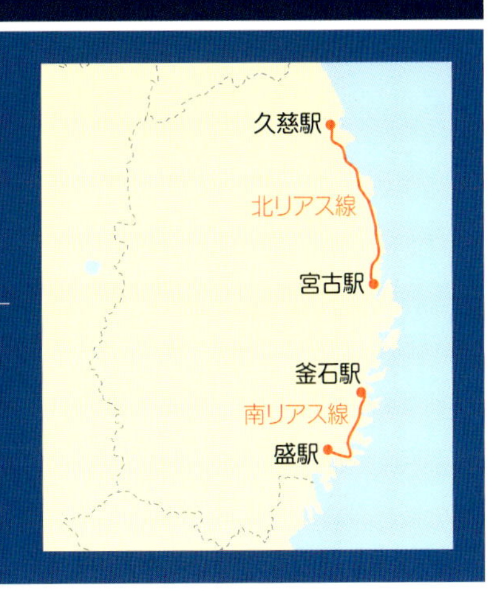

三陸鉄道はこうして成立した

岩手県の三陸海岸に沿って進む三陸鉄道には、営業キロが71.0kmの北リアス線、そして36.6kmの南リアス線と合わせて107.6kmの路線があります。北リアス線はJR東日本山田線の宮古駅を起点とし、同じくJR東日本の八戸線の久慈駅を終点とする路線です。いっぽうの南リアス線はJR東日本大船渡線、岩手開発鉄道日頃市線、同赤崎線の盛駅を起点とし、JR東日本山田線、同釜石線の釜石駅を終点としています。

北リアス線、南リアス線とも非常に複雑な成り立ちをもつ路線です。大きく分けますと国鉄の路線として開業した区間、そして三陸鉄道の路線として1984(昭和59)年4月1日に開業した区間の2つとなります。

まずは北リアス線から説明しましょう。宮古駅と田老駅との間の12.7kmは、国鉄の宮古線として1972(昭和47)年2月27日に開業した区間です。そして、田老駅と普代駅までの間の32.2kmは三陸鉄道北リアス線として開業し、普代駅から久慈駅までの26.1kmは国鉄の久慈線として1975(昭和50)年7月20日に開業しました。

南リアス線のうち、盛駅と吉浜駅までの21.6kmは国鉄の盛線として開業した区間です。このうち、盛駅と綾里駅との間の9.1kmは1970(昭和45)年3月1日に、綾里駅と吉浜駅との間の12.5kmは1973(昭和48)年7月1日にそれぞれ開業を果たしました。残る吉浜駅と釜石駅との間の15.0kmは三陸鉄道南リアス線として開業した区間です。

三陸鉄道の列車の車内*

北リアス線白井海岸〜堀内間に架かる大沢橋りょうを通過する普通列車*

開業年を見ますと、どの区間も昭和40年代以降ですので、戦前までに建設されたJR東日本大船渡線や同山田線と比べますと、同じ三陸海岸を行く鉄道ながら、様相は大きく異なります。その最も大きな違いはトンネルの数と延長です。三陸鉄道には北リアス線、南リアス線合わせて62カ所のトンネルがあり、延長は61.474kmにも達します。つまり、6割近い57%の区間がトンネルと、新幹線並みです。

戦後に建設された路線では、土木技術が進歩したこと、そしてトンネルを建設すると線路用に取得する土地の面積を節約できて総合的には建設費が節約できることから、積極的にトンネルが掘削されました。もちろん、三陸海岸は山地が海岸まで迫る地形ですし、津波の被害を避けるため、必然的にトンネルが多くなったといえます。

三陸鉄道は2011（平成23）年3月11日に発生した東日本大震災によって北リアス線、南リアス線の線路や施設合わせて317カ所が破壊され、16両のうち3両のディーゼルカーを失って全線が不通となりました。それでも震災5日後の3月16日には北リアス線の陸中野田〜久慈間が復旧し、残る区間も2014（平成26）年4月6日までにすべて復旧しています。JR東日本の気仙沼線や大船渡線、山田線のそれぞれ一部区間よりも復旧が早かったのはもちろん三陸鉄道の関係者の多大な努力によるものです。加えて線路の多くがトンネルに守られて、津波の被害を軽減できたという点も挙げられるでしょう。

東日本大震災の被害から復旧した南リアス線の線路

北リアス線、南リアス線ともにトンネルが多い

北リアス線の列車は、宮古駅を出発して山田線から北へと分かれますとすぐに長さ562mの長根トンネルに入ります。このトンネルをはじめとして北リアス線には43カ所、延長39km余りのトンネルが設けられました。

災害を避けるためにはやむを得ませんが、せっかくの機会ですから三陸海岸の眺めを楽しみたいものです。トンネルとトンネルとの間を列車が走るわずかな間ながら、各所で見ることができます。宮古駅からでしたら、まずは田老駅でしょう。この駅は高台に設けられており、プラットホーム越しに太平洋が顔をのぞかせています。

田老駅を出ますと6532mと、北リアス線のみならず、三陸鉄道で最も長い真崎（まさき）トンネルが現れました。三陸海岸の眺めは3駅先の島越（しまのこし）駅付近のわずかな間までお預けです。島越駅を出てからもトンネルは続き、次に見えるのは白井海岸（しらいかいがん）駅付近となります。

白井海岸駅を出て第一白井トンネルを通り抜けたあたりから、三陸海岸を見る機会は増えるでしょう。特に堀内（ほりない）駅から野田玉川（のだたまがわ）駅、十府ヶ浦海岸（とふがうらかいがん）駅を経て陸中野田駅までの間の8.5kmでは、比較的長い時間海を見ることができます。陸中野田駅からは内陸をトンネルで抜け、終点久慈に到着です。

北リアス線堀内駅からは三陸海岸を見下ろすことができる。

北リアス線、そしてJR東日本八戸線の終点、久慈駅

南リアス線の列車からもなかなか海を見ることはできません。トンネルが19カ所、合わせて22km余りあり、トンネルから出ても内陸を走っているからです。そのようななか、綾里駅と恋し浜駅、甫嶺（ほれい）駅を経て三陸駅までの間、それから吉浜駅付近や唐丹（とうに）駅付近、平田駅付近では何とか海を見ることができるでしょう。

北上してきた南リアス線の線路は、釜石駅の手前の甲子（かっし）川、別名大渡（おおわたり）川を第一大渡川橋りょうで渡ると北西に向きを変えます。橋りょうはそのまま中番庫（なかばんこ）高架橋として続き、第二大渡川橋りょうとして再び大渡川を渡りますと、終点釜石駅が姿を現しました。

JR北海道

石勝線

南千歳～新得間、新夕張～夕張間 ［営業キロ］148.5km

［最初の区間の開業］1892（明治25）年11月1日／追分～新夕張間、新夕張～夕張間
［最後の区間の開業］1981（昭和56）年10月1日／南千歳～追分間、新夕張～新得間
［複線区間］なし
［電化区間］なし
［旅客輸送密度］3661人

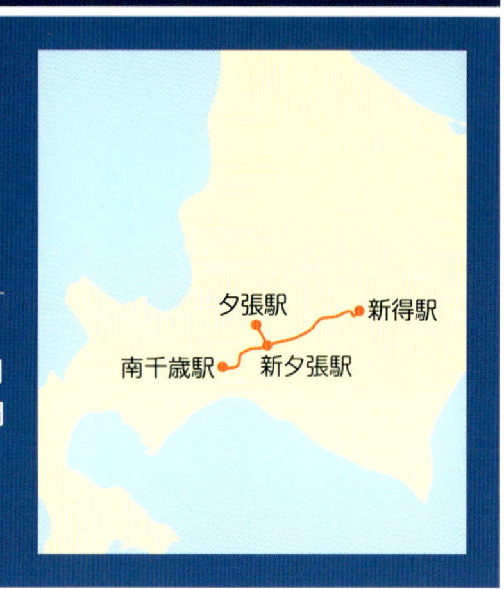

石勝線沿線には人が少ない？

JR北海道の石勝線は2つの路線に分けられます。一つは南千歳駅と新得駅との間の132.4kmです。札幌方面と帯広・釧路方面とを結ぶ幹線となっており、特急列車や貨物列車が多数運転されています。もう一つは途中の新夕張駅から分岐して夕張駅までの16.1kmです。こちらは沿線の人々の足となっており、普通列車が走ります。

石勝線の成り立ちは複雑です。最初に開業を果たしたのは、枝分かれする新夕張～夕張間、それから南千歳～新得間の途中にあり、室蘭線の駅でもある追分駅と新夕張駅との間でして、1892（明治25）年11月1日に夕張線として営業を始めています。残る南千歳～追分間と新夕張～新得間とはぐっと時代は下って1981（昭和56）年10月1日に石勝線として開業し、同時に追分～新夕張～夕張間も石勝線と名を改めています。

この路線の特徴として挙げられるのは、駅周辺を除いて全線にわたって人があまりいない場所を通っているという点です。こうした特徴から、南千歳～新得間では駅と駅との間がとても離れており、駅間距離は平均18.9kmと新幹線並みです。石勝線は全線が単線

○石勝線の終点、新得駅。上落合信号場からこの駅までは根室線との重複区間である。

○夕張駅は石勝線最古の開業区間に設けられた。新夕張～夕張間は営業廃止がささやかれている。

札幌～帯広間を石勝線経由で結ぶ特急「スーパーとかち」が、トマム～新得間を行く。

で、南千歳～新得間ではすべての駅で行き違いができるようになっていますが、行き違い施設はまだ足りません。そこで、南千歳～追分間には駒里、西早来、追分～川端間には東追分、川端～滝ノ上間には滝ノ下、滝ノ上～新夕張間には十三里、新夕張～占冠間には楓、オサワ、東オサワ、清風山、占冠～トマム間には東占冠、滝ノ沢、ホロカ、トマム～新得間には串内、上落合、新狩勝、広内、西新得と合わせて17カ所の信号場が設置され、列車同士の交換を行っています。なお、石勝線の終点は正式には新得駅ですが、途中の上落合信号場で根室線と合流するので、実際にはここまでといってよいでしょう。

列車は、南千歳～追分～川端間ではなだらかな丘陵、川端～新夕張間と新夕張～夕張間は夕張川によって形成された谷間、新夕張～新得間は深い山あいを行きます。新夕張～新得間では峠越えを楽しみたいところですが、新しい路線だけに長大なトンネル群で一気に貫いていてあまり景色は楽しめません。いっぽう、新夕張～夕張間では頂上の夕張駅に向けて最急で25.2パーミルの上り坂が全区間にわたって続きます。トンネルも1カ所しかありませんから、山を上る列車の魅力が堪能できます。

トマム駅で特急「スーパーとかち」同士が行き違いを行う。

17

JR北海道

富良野線

旭川～富良野間　[営業キロ]54.8km

[最初の区間の開業]1899（明治32）年9月1日／旭川～美瑛間

[最後の区間の開業]1900（明治33）年8月1日／上富良野～富良野間

[複線区間]なし

[電化区間]なし

[旅客輸送密度]1477人

夏になると沿線にラベンダーが咲きほこる路線

旭川駅を出発した普通列車は、神楽岡駅、緑が丘駅、西御料駅、西瑞穂駅、西神楽駅と、旭川市近郊のベッドタウンをほぼ南南東方向に一直線に通り抜けていきます。西神楽駅を出ますと列車の向きは東南東となりました。次の西聖和駅と頭に「西」と付く駅が続けて4駅目となるころには旭川市の街並みも途切れ、進行方向左側の小高い丘に旭川空港が見えてくるでしょう。

千代ケ岡駅を経て北美瑛駅と、列車は向きを変えるときを除いては直線基調で走ってきましたが、ここから先の上富良野駅まではカーブの多い峠越え区間が始まります。と同時に富良野線ならではの魅力あふれる区間の始まりです。

北美瑛駅を出発した列車は25パーミルの上り坂に挑み、美瑛駅を経て頂上の美馬牛駅を目指します。ここまでの線路は左右に斜面が

ラベンダーのじゅうたんの中を富良野線の普通列車が行く。*

西神楽駅を出発する旭川行き普通列車

新雪のなかに幻想的にたたずむ美瑛駅の駅舎。石造りの駅舎は観光名所としても知られる。

迫る切り通し、正式には切り土と呼ばれる区間です。

美馬牛駅を出てしばらく行きますと、ところどころで視界が開けます。線路の周囲にはジャガイモ畑が広がり、7月の半ばには畑一面にジャガイモが白い花を咲かせているのを見ることができるでしょう。

上富良野駅まで降りてきましたら、線路は約10km、駅でいうと西中駅、中富良野駅をへて鹿討駅の先までひたすら直線となります。西中駅を出ましたら、進行方向右側を注目してください。7月上旬から中旬にかけて、ラベンダーをはじめさまざまな花が美しく咲きほこっているのに気づくでしょう。

ここはファーム富田といいまして、紫色の花を咲かせるラベンダーをはじめ、白色のカスミソウ、赤色やオレンジ色のポピー、ピンクのコマチソウなどが整然と植えられています。ラベンダーの見ごろとなる時期にはまるで花々のじゅうたんのような光景が広がるので、列車の速度を落としてほしいと思うでしょう。富良野線には観光列車の「富良野・美瑛ノロッコ号」がシーズン中の土・休日を中心に運転されており、上富良野駅と西中駅との間に設けられた臨時駅のラベンダー畑駅に停車します。この駅からファーム富田までは歩いて7分ほどです。

紅葉の中を行く普通列車*

沿線にはほかにも多数のラベンダー畑、花畑があり、進行方向左側後方にそびえる十勝岳とともに富良野線随一の景色となっています。学田駅でそれまで南西に走ってきた列車は南東に向きを変え、終点の富良野駅に到着です。

JR北海道

函館線

函館～旭川間、大沼～森間 ［営業キロ］458.4km

［最初の区間の開業］1880（明治13）年11月28日／南小樽～札幌間
［最後の区間の開業］1945（昭和20）年6月1日／大沼～渡島砂原間
［複線区間］函館～七飯間、森～鷲ノ巣信号場間、山崎～黒岩間、北豊津信号場～長万部間、小樽～旭川間
［電化区間］函館～新函館北斗間、小樽～旭川間／交流2万ボルト／50ヘルツ
［旅客輸送密度］1万0649人

5つの峠が待ち受ける山岳区間

北海道を代表する幹線の一つ、JR北海道の函館線は一部の区間を除いて多数の列車が運転されています。多くの区間が複線となっていて、函館～新函館北斗間や小樽～旭川間は電化区間です。

そのようななか、ローカル線の佇まいを見せる区間があります。長万部駅と小樽駅との間の140.2kmです。この区間は閑散としており、函館・五稜郭～長万部間を多数行き交う特急列車や貨物列車の姿はなく、普通列車しか見られません。

国鉄時代は長万部～小樽間にも特急列車や貨物列車は運転されていました。にもかかわらず、今日幹線のなかのローカル線と化したのはなぜでしょうか。列車に乗ってみるとわかります。この区間は山が連続していて、合わせて5カ所もの峠を越えなくてはならないからです。車両として昭和30年代ごろまでの主役を務めた蒸気機関車は力が弱く、坂道が苦手です。長万部駅と札幌駅との間を行き来する場合、函館線回りの174.0kmに対して室蘭線・千歳線回りでは32.4kmも長い206.4kmありますが、こちらは平坦基調であるため、山線と呼ばれる函館線は幹線の座を奪われたのです。

5カ所の峠は二股～黒松内間、熱郛～目名間、昆布～小沢間、小沢～仁木間、蘭島～小樽間に立ちはだかっています。最も急なこう配はいずれも20パーミルあり、車両にとっては大きな走行抵抗となる半径300mほどの急なカーブと相まって、パワフルな現代の車両でさえ峠越えは容易ではありません。

○ニセコ～昆布間を行く函館線の普通列車。後方に見えるのが標高1898mの後方羊蹄山だ。*

小沢駅を小樽方面に向けて出発する蒸気機関車けん引の旅客列車。長万部～小樽間での蒸気機関車の活躍は1973年9月30日までであった。撮影：広田尚敬

いずれも険しい坂道のなかでも、長万部駅から小樽駅へと向かう列車を苦しめてきた峠越えは昆布～小沢間です。20パーミルのこう配区間こそあまりありませんが、その代わりに上り坂の距離は昆布駅から1kmほどの地点で始まり、倶知安駅から3kmほどのところにある倶知安峠までと約26kmも続きます。しかも、上るだけでなく、短い距離を下って再び上り坂になるので、車両にとって負担が大きくなるからです。

昆布駅を出発した列車が次のニセコ駅に着くころ、列車の左側には駅名のもととなったニセコアンヌプリ、右側には後方羊蹄山と名峰が出迎えてくれます。比羅夫駅、そして長万部～小樽間の途中駅では最も規模の大きな倶知安駅を経て峠に差しかかるころには、すっかり山線のとりこになっていることでしょう。

スキーシーズンを中心に札幌方面から観光列車も運転されている。写真はニセコ～札幌間の「ニセコエクスプレス」

山小屋風の駅舎をもつニセコ駅。スキー客など多数の観光客がこの駅を訪れる。*

19

JR北海道

室蘭線

長万部～岩見沢間、東室蘭～室蘭間　[営業キロ] 218.0km

[最初の区間の開業] 1892（明治25）年8月1日／東室蘭～岩見沢間
[最後の区間の開業] 1928（昭和3）年9月10日／静狩～伊達紋別間
[複線区間] 長万部～洞爺間、有珠～長和間、稀府～三川間、由仁～栗山間、東室蘭～室蘭間
[電化区間] 東室蘭～沼ノ端間、東室蘭～室蘭間／交流2万ボルト／50ヘルツ
[旅客輸送密度] 4622人

かつては石炭輸送の重要な路線だった

北海道にある幹線のなかのローカル線といいますと、函館線長万部～小樽間に加えて、JR北海道の室蘭線沼ノ端駅と岩見沢駅との間の67.0kmを挙げなくてはなりません。特急列車や貨物列車が多数走る長万部～沼ノ端間ですとか、電化されている東室蘭～室蘭間と比べますと、閑散としているからです。

ところで、この区間を行く普通列車に乗りますと面白いことに気づきます。ローカル線という割には複線区間が多いという点です。複線は沼ノ端～三川間34.8km、由仁～栗山間5.1kmの計39.9kmと、6割ほどを占めて

○栗沢駅を出発した岩見沢行き普通列車*

います。実は往時の室蘭線は石狩炭田から産出された石炭を運ぶための重要な路線であり、岩見沢駅から沼ノ端駅を経て本州方面へ向けて多数の石炭輸送列車が運転されていました。沼ノ端方面から岩見沢方面へ運転される石炭輸送列車はありませんでしたが、空になった石炭車を炭鉱に近い駅まで戻さなくては石炭を運べないので、多数の空車回送列車を運転する必要がありました。この結果、円滑に石炭を運ぶために複線区間が設けられたのです。

室蘭線は石炭輸送とともに歩んできた。岩見沢方面から運ばれてきた石炭のなかには、室蘭市内の御崎（みさき）駅から専用側線を経由してコークス工場へ運ばれたものも多かったという。写真は1979年ごろの専用側線の光景。蒸気機関車が1982年まで用いられていた。写真提供:毎日新聞社

沼ノ端駅を出発した列車は東北東から北東に向きを変え、ほぼ一直線に勇払（ゆうふつ）原野を貫いていきます。列車の周囲に見えるのは広葉樹でして、ときにうっそうと、ときにまばらに立ち並ぶだけの緑の湿地です。

千歳（ちとせ）線の起点も沼ノ端駅となっています。線路はすぐに分岐するのではなく、勇払原野の途中まで室蘭線と線路を共用し、沼ノ端駅から約4kmほどの場所までは一緒です。このあたりでは複線とはいえ、上下線の間隔が開いています。2本の線路は400mほど離れているのです。複線の室蘭線と複線の千歳線とが分岐・合流する場所では原野の中を線路がどこまでも延びていく様が見渡せ、日本離れした雄大な光景といえるでしょう。

千歳線との分岐を見送ると原野も終わり、景色は針葉樹林や畑へと変わります。人家は駅の周辺に限られるという光景が続くなか、広々とした構内をもつ追分（おいわけ）駅に到着です。室蘭線が向きを変えず、石勝（せきしょう）線が寄り添うように交差するこの駅では夕張（ゆうばり）方面で産出された石炭を載せた貨物列車が室蘭線に乗り入れてきました。

追分駅を出ると線路の周囲は開けてきて、田畑の姿が目立ちます。直線がちで平坦（へいたん）な線路はこれまでと変わらず、気がつけば函館線の線路が現れてきました。およそ3kmほど一緒に走り、併設（へいせつ）された車両基地でいまも広大な構内をもつ岩見沢駅に到着です。

室蘭線の終点岩見沢駅は豪雪地として知られ、プラットホームが雪で埋もれることもある。*

由仁～栗山間の複線区間を行く普通列車

20

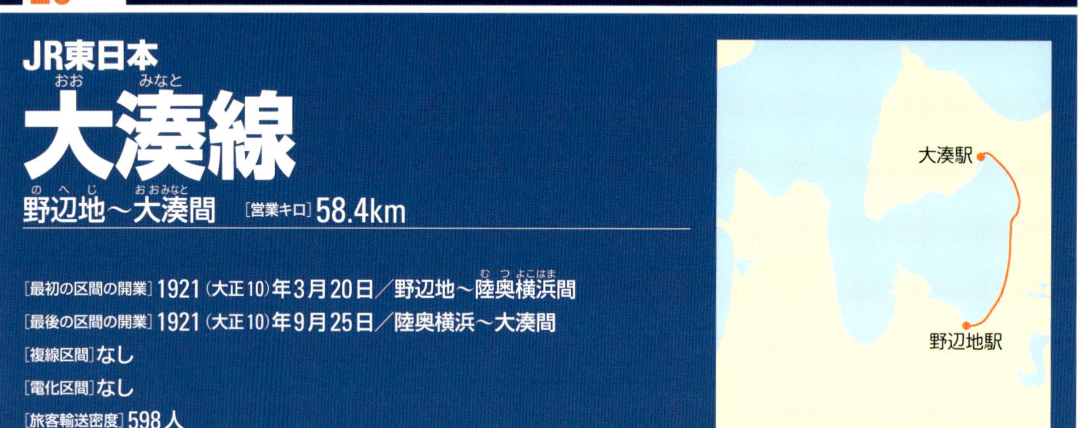

JR東日本

大湊線

野辺地～大湊間　[営業キロ] 58.4km

[最初の区間の開業] 1921（大正10）年3月20日／野辺地～陸奥横浜間
[最後の区間の開業] 1921（大正10）年9月25日／陸奥横浜～大湊間
[複線区間] なし
[電化区間] なし
[旅客輸送密度] 598人

平坦で真っすぐな線路がひらすら続く

JR東日本の大湊線は、青い森鉄道青い森鉄道線の野辺地駅を起点とし、大湊駅へと至る58.4kmの路線です。大湊線は全線にわたってJR東日本の他の路線と接続していません。

陸奥湾を横目に、有戸～吹越間を行く普通列車が野辺地を目指す。

実は2010（平成22）年12月3日までは野辺地駅はJR東日本東北線の駅でした。しかし、翌12月4日に東北新幹線八戸～新青森間が開業しますと、野辺地駅をめぐる東北線は青い森鉄道青い森鉄道線へと切り替えられ結果、大湊線は孤立した路線となったのです。

野辺地駅を出発しますと列車の左側に規模の大きな針葉樹林が見えてくるでしょう。これは、線路を吹雪から守る吹雪防止林で、1893（明治26）年に植えられた日本初の鉄道林の一部です。野辺地駅に植えられた吹雪防止林は2万1190本のスギ、1000本のカラマツが1万7000m²の敷地に植えられています。木の本数は1万m²当たり1万3000本余りと、今日の吹雪防止林の1万m²当たり3000本から5000本と比べて非常に多い点が特徴です。

列車は立派な針葉樹林に守られながらも、すぐに南東から北西方向を結ぶ青い森鉄道線の線路から分かれて、北北東に進みます。北野辺地駅を出ますと、野辺地町の市街地も終わってしまいました。ここから大湊駅までの車窓に広がる景色は、主に田畑や広葉樹林に

菜の花畑が一面に広がる陸奥横浜駅付近を観光列車の「リゾートあすなろ」が通り抜ける。*

一直線に続く大湊線の線路*

針葉樹林、ときおり集落という具合です。

地図を見ますと、大湊線の線路は陸奥湾(むつわん)の海岸に沿って敷かれているように見えますが、実際には大部分の区間で線路は内陸にあり、海沿いどころか海を望むこともままなりません。それでも有戸(ありと)駅と吹越(ふっこし)駅との間では比較的長い間、陸奥湾がよく見える場所を通っていきます。

大湊線は全線にわたって平坦基調の路線で、最も急なこう配は10パーミルに過ぎません。急カーブも少なく、列車はだいたいにおいて真っすぐ走っている印象をもつでしょう。

北北東から北へと進んできた大湊線は近川(ちかがわ)駅のあたりで北北西へと向きを変えます。列車が進む方向に山々が見えてくるのに気づきましたか。これらの山々は恐山(おそれざん)山地と呼ばれ、なかでも恐山には温泉やカルデラ湖の宇曽利山(うそりやま)湖があり、そして日本三大霊場でもある曹洞宗(そうとうしゅう)の恐山菩提寺(ぼだいじ)が建立(こんりゅう)されていることでも知られています。アクセスは下北(しもきた)駅からバスが便利です。

恐山・極楽浜と宇曾利山湖

下北駅を出発した列車は、陸奥湾に沿って向きを西南西へと変えます。ただし、海は相変わらず見えません。これまでと同じような景色の中を列車は走り、終点大湊駅に到着します。

JR東日本

八戸線

八戸～久慈間　[営業キロ]64.9km

[最初の区間の開業]1894(明治27)年1月4日／八戸～本八戸間

[最後の区間の開業]1930(昭和5)年3月27日／陸中八木～久慈間

[複線区間]なし

[電化区間]なし

[旅客輸送密度]1041人

鮫駅を出ると景色が一変する

八戸線は、東北新幹線や青い森鉄道青い森鉄道線の駅でもある八戸駅を起点とし、三陸鉄道北リアス線の終点でもある久慈駅を終点とする、64.9kmの路線です。ローカル線の風情を期待して八戸駅から列車に乗り込むと拍子抜けするかもしれません。しばらくは八戸市の市街地を走るからです。

広々とした構内の八戸駅を出発しますと、列車の左側にもう1本の線路が寄り添っているのに気づくでしょう。八戸線が複線となっているのではなく、八戸臨海鉄道八戸臨海鉄道線という貨物輸送専門の鉄道会社の線路です。この線路は長苗代駅を出たあたりで八戸線に対して北側に分かれ、八戸港に近い北沼駅を目指します。

東から東南東に向きを変えた八戸線は馬淵川を渡りますと、先ほどの八戸臨海鉄道線からさらに分かれたもう1本の線路が、やはり北側に分かれていくのが見えるでしょう。この線路は青森県営の専用側線で石油などの貨物が運ばれていましたが、いまは使われていません。

馬渕川を渡り終えると、高架橋へと駆け上がり、ほどなく列車は八戸市の中心に近い本八戸駅に到着です。高架橋の幅は広がり、列車の左側にはもう1本線路を敷く空き地があります。この空き地は小中野駅の手前で分かれ、線路のない高架橋がさらに延びているのが

八戸線の観光列車「TOHOKU EMOTION（東北エモーション）」

見えるでしょう。この空き地は1985（昭和60）年3月14日に廃止された八戸線の貨物輸送専用の枝線で、本八戸駅と湊駅との間の2.7kmを結んでいました。

鮫駅を出ますと、景色は一変します。小高い丘に敷かれた線路を行く列車の左側に太平洋が姿を現し、ほどなく半島状に突き出した蕪島が見えてくるでしょう。ここはウミネコの繁殖地として知られ、列車からウミネコを見ることも可能です。

やがて線路は防風林に囲まれ、列車の左手に海を臨みながら、海岸に近い場所を南東に進みます。ところどころで線路は海岸の近くまで寄り、また防風林が途切れるところがあり、太平洋の眺めが楽しめるでしょう。特に宿戸駅と陸中中野駅との間では割合長い間海沿いを通っています。

陸中中野駅から先の線路は内陸沿いに敷かれました。海には陸中夏井駅付近でいったん近づきますが、再び内陸に戻り、そのまま終点久慈駅に到着です。

○鮫駅の駅前にはサメのモニュメントが設置されている。

○2017年12月から八戸線で使用されているJR東日本のキハE130形ディーゼルカー

○鮫～陸奥白浜間で八戸線の線路は蕪島のすぐ横を通る。*

22

JR東日本

男鹿線

追分～男鹿間 ［営業キロ］26.6km

［最初の区間の開業］1913（大正2）年11月9日／追分～二田間

［最後の区間の開業］1916（大正5）年12月16日／羽立～男鹿間

［複線区間］なし

［電化区間］なし

［旅客輸送密度］2106人

男鹿線からは男鹿の絶景は見られない!?

男鹿線には「男鹿なまはげライン」という愛称がつけられています。こう聞くと、男鹿線の向かう先は日本海へと突き出した男鹿半島の先端部分であろうとか、家々を回るなまはげが似合う古きよき日本の里の風景が沿線に広がっているだろうと想像するかもしれません。でも実際に男鹿線の列車に乗ると、少々拍子抜けするでしょう。

一周すると80kmほどの距離がある男鹿半島のうち、男鹿線は南のつけ根の部分の26.6kmしか通らないので、日本海の絶景はまだ先です。それに、なまはげが現れそうなのどかな光景も望めません。線路の両側には高い木がそびえ、あまり見通しが効かないからです。たまに視界が開けても、近代的な家に商店が建ち並ぶさまにがっかりするかもしれません。

男鹿線は終点、男鹿駅の近くにある船川港に発着する船舶に積み込んだり、荷揚げされる物資を運ぶためにつくられた路線です。ですので、男鹿半島の先端部分まで延ばす必要はありませんでした。

線路脇の樹木は列車を砂から守るために人工的に植えられた飛砂防止林で

男鹿線には電車とディーゼルカーとが営業に就いており、ディーゼルカーは国鉄から引き継いだキハ40系が用いられる。*

男鹿駅近くにある船川港*

蓄電池で走行するEV-E801系電車が2017年3月から男鹿線で営業を始めている。*

す。日本海から吹きつける風はことのほか強く、海岸の砂は容赦なく内陸へと向かっていきます。大正時代の初めに男鹿線が開業したころは塀を築いて砂をしのいでいましたが、かえって砂がたまってしまい、用をなしません。そこで、JR東日本の前身の鉄道省は、針葉樹を線路に沿って植えて砂を避けるようにしたのです。景色は見えにくくなってしまいますが、もしも飛砂防止林が植えられていなければレールの上まで積もった砂で列車は動くことさえできなくなったでしょう。

うっそうとした景色の多い男鹿線にも広々とした景色を眺められる場所はあります。起点の追分駅から4駅目の天王駅とその隣の船越駅との間です。1.7kmの道のりのうち、300mあまりは日本海と八郎潟調整池との間を結ぶ船越水道を渡ります。目をこらしますと、男鹿行きの列車の左側には日本海が、同じく右側には八郎潟の水をせき止めて誕生した大潟村がそれぞれ遠くに見えるでしょう。

船越水道に架けられた八郎潟橋りょうを渡る国鉄の普通列車。橋桁のうち、門状のものが付いている1カ所は昇降可能であった。撮影：広田尚敬

船越水道を渡る八郎潟橋りょうは、長い桁がいくつも並ぶありふれた橋です。でも、その昔、この橋は1カ所の桁だけ上下させて八郎潟の干拓工事用の船を通していました。いまは船が通ることもなくなり、桁を上げ下げすることもありません。

23

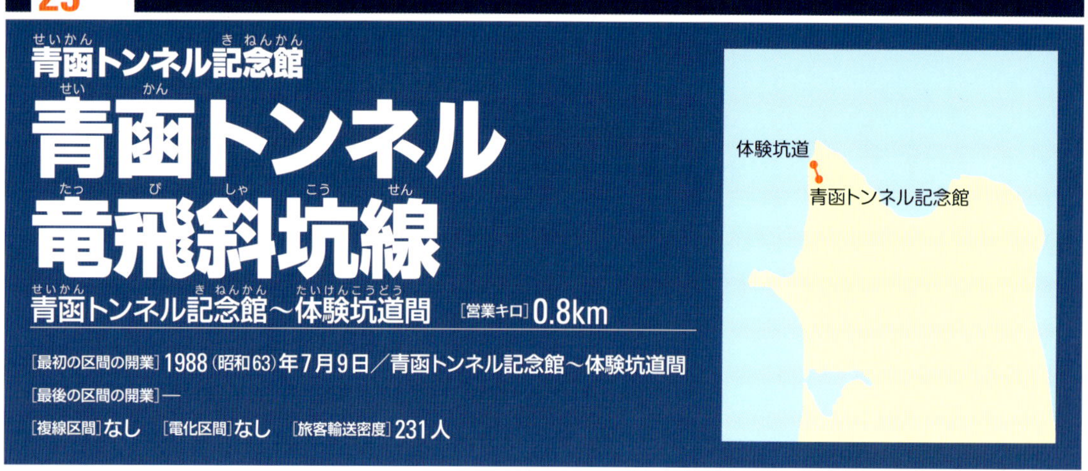

青函トンネル記念館

青函トンネル竜飛斜坑線

青函トンネル記念館～体験坑道間　[営業キロ] 0.8km

[最初の区間の開業] 1988（昭和63）年7月9日／青函トンネル記念館～体験坑道間

[最後の区間の開業] —

[複線区間] なし　[電化区間] なし　[旅客輸送密度] 231人

わずか800m、8分の乗車区間

津軽半島の先端にほど近い竜飛岬の青森県外ヶ浜町に青函トンネル記念館があります。ここはかつて青函トンネルを建設したときに、作業担当者や資材搬入のための基地となっていたところです。いまの青函トンネル記念館からは津軽海峡の海底に向けては、斜め方向に斜坑が掘られました。この斜坑は長さが1315mあり、作業担当者や資材は専用のケーブルカーや徒歩で海面下140mほどのところにある竜飛定点や、さらに深い海面下300mほどの地点に設けられたところにある先進導坑の掘削始点に向かうことができたのです。

専門用語が出てきたので解説しましょう。竜飛定点とは斜坑と青函トンネルの本体とが交わる場所でして、JR北海道の海峡線にかつて竜飛海底という駅が設けられていたことを覚えている人も多いでしょう。

いっぽう、先進導坑とは青函トンネル本体

青函トンネル記念館で出発を待つ「もぐら号」＊

○青函トンネル記念館

○体験坑道駅へと向かう軌道。トンネルには青函トンネルから吹き抜けてくる風を防ぐための門が設置されている。*

○体験坑道駅では青函トンネルの作業坑の一部を歩くことができる。*

の海底部の建設に先だって掘削されたトンネルです。地盤の弱い海底部で断面の大きなトンネル本体を掘ることは危険でしたので、まずは先進導坑を掘りました。またトンネル本体よりも深い場所にあるのは、トンネルへの湧き水を流すためで、先進導坑の掘削始点には排水ポンプを備えた排水拠点が設けられています。

青函トンネルが完成して営業が行われるようになっても、斜坑の重要性は変わっていません。日常的に行われている保守整備のため、そして万一の事故の際の非常脱出口として活用されています。さらに、青函トンネル記念館は、青函トンネルの重要性や建設工事の苦難を後世に伝えようという努力を怠っておりません。竜飛定点に向かうケーブルカーを一般にも開放し、竜飛定点では青函トンネル本体を掘削する際の作業用として掘られた作業坑の一部を、体験坑道と名付けて公開しています。

実際に青函トンネル記念館駅からケーブルカーに乗ってみましょう。「もぐら号」と名付けられているとおり、ケーブルカーが走る線路はいうまでもなく、全線がトンネルです。こう配は250パーミル、斜度で表すと、14度の急坂(きゅうはん)が体験坑道駅まで800mにわたって一定して続いています。坑道に向かうケーブルカーの左隣には階段が設けられており、作業を担当する人たちのなかにはこちらを歩く機会がある人もいるそうです。

8分ほど乗りますと体験坑道駅に到着します。ここでの見学時間は30分取ってあり、帰りは7分の乗車で青函トンネル記念館駅に到着です。青函トンネル記念館は4月下旬から11月上旬までの営業で、ケーブルカーもこの期間しか利用できないのでご注意ください。

青い森鉄道

青い森鉄道線

目時～青森間 ［営業キロ］121.9km

［最初の区間の開業］1891（明治24）年9月1日／目時～青森間
［最後の区間の開業］—
［複線区間］目時～青森間
［電化区間］目時～青森間／交流2万ボルト／50ヘルツ
［旅客輸送密度］2375人

青い森鉄道線はローカル線か？

青い森鉄道青い森鉄道線は目時駅から青森駅までの121.9kmを結んでいます。JR各社を除き、民営鉄道などで最も距離の長い路線はかつては116.9kmの肥薩おれんじ鉄道肥薩おれんじ鉄道線でした。ところが、当初目時～八戸間25.9kmで2002（平成14）年12月1日に発足した青い森鉄道線は、2010（平成22）年12月4日に八戸～青森間96.0kmが加わったことで、民鉄界全国一の長さの路線となった次第です。

率直にいって、青い森鉄道線がローカル線として扱われると聞いて驚く人も多いことでしょう。よく知られているとおり、この路線はもともとJR東日本の東北線でして、東北新幹線の開業に伴って同社から経営が分離され、第三セクター鉄道の青い森鉄道に引き継がれました。東北線は国内を代表する幹線の一つですから、全線が複線、電化されていてもちろん目時～青森間も例外ではありません。とはいえ、2015（平成27）年度の旅客輸送密度を見ますと2375人で、本書で掲載の基準としている4000人を下回っています。

青い森鉄道線は果たしてローカル線であるのか——。実際に乗ってみましょう。

雪にまみれた701系の電車が青森駅に到着したところ

青い森鉄道線の終点青森駅

青い森鉄道線で2014年3月から用いられている703系電車

起点の目時駅は深い山々に囲まれた場所にあり、人家の姿はあまり目立たない点に気づきます。かつての東北線で青森県の南端ということで起点となったまでで、現実にはいわて銀河鉄道いわて銀河鉄道線からの乗り入れを含め、この駅が始発、終着となる列車は設定されていません。

山あいの線路を抜けて平地に設けられた八戸駅を過ぎますと、初めは広大な水田、続いて列車の右側に陸上自衛隊八戸駐屯地を見て、再び水田などの中を走って三沢駅に到着します。三沢駅から小川原駅までの間は高架橋です。道路との立体交差のためではなく、全国でも有数の軟弱な地形に強固な線路を築くために採用されました。

青い森鉄道線でも随一の景勝地は浅虫温泉駅と野内駅との間でしょう。この区間では山が青森湾まで迫っているため、線路は海岸沿いに敷かれました。ちょうどこのあたりでは、

矢田前駅を上から眺めたところ。東北線の面影は全線が複線、電化されている点に表れている。

冬になると北からやって来たハクチョウの姿を見ることもできるでしょう。

野内駅を過ぎますと青森市の市街地の中を行きます。利用者が多くなるのもこのあたり、それから八戸駅の周辺だけで、なるほど旅客輸送密度が低いこともうなずけます。ただし、JR貨物による貨物列車は依然として多数が運転されていまして、青い森鉄道線は幹線という看板を下ろす必要はないでしょう。

由利高原鉄道

鳥海山ろく線

羽後本荘～矢島間　[営業キロ] 23.0km

[最初の区間の開業] 1922（大正11）年8月1日／羽後本荘～前郷間
[最後の区間の開業] 1938（昭和13）年10月21日／西滝沢～矢島間
[複線区間] なし
[電化区間] なし
[旅客輸送密度] 386人

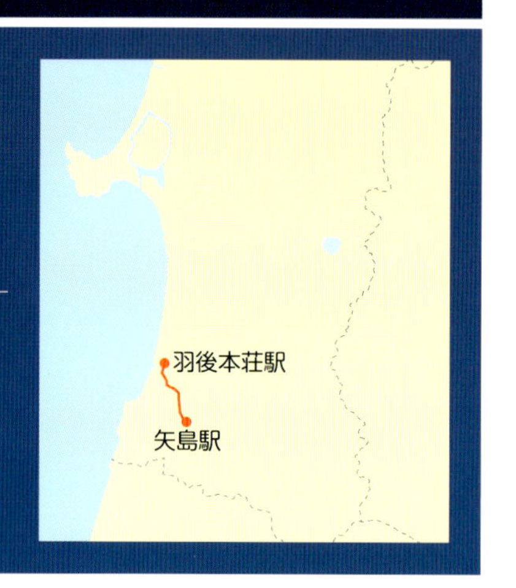

名称どおり、鳥海山の山ろくを走る路線

最初に断っておきますと、由利高原鉄道には「高原」と付きますが、一般に思われているような山岳鉄道ではありません。標高を見てもわかるとおり、最も低い起点の羽後本荘駅は6.5m、最も高い終点の矢島駅は53.3mで、標高もさることながら標高差もそう大きくはないのです。

いっぽう、路線名の鳥海山ろく線にうそ偽りはありません。基本的に南東に向かうこの路線に対し、標高2236mの鳥海山はおおむね矢島駅行きの列車に対して前方か、右側に見えているからです。

やや苦言をていした形となりましたが、実際に鳥海山ろく線の列車に乗ってみますと、魅力にあふれた路線であることがわかります。水田、広葉樹林が主体でときおり市街地という景色は、周囲が広々としていて遠くまで見渡せるので、開放感にあふれ、春から秋にか

○鳥海山を後方に見ながら、羽後本荘駅へ向かう鳥海山ろく線の普通列車。前郷～久保田間*

けては緑色のじゅうたんのなかを行くようです。

水田地帯を行く普通列車。鳥海山ろく線の普通列車は地元の言葉で娘さんを意味する「おばこ列車」と呼ばれる。*

由利本荘市にある羽後本荘駅と、市名と駅名とにずれが生じている起点を出発しますと、しばらくの間、JR東日本羽越(うえつ)線の複線と並走して南南西に進みます。およそ2kmの並走を続けているなか、薬師堂(やくしどう)駅に到着です。この駅は鳥海山ろく線にだけ設けられており、羽越線との乗換はできません。

薬師堂駅に停車中のYR-3000形ディーゼルカー*

南南西から南東へと向きを変えて羽越線とは分かれた後、子吉(こよし)駅を出ますと長さは2km、標高差は20mほどの峠越えが待ち構えています。羽後本荘駅側の上り坂のこう配は最も急なところで25パーミルと結構な急坂(きゅうはん)ですが、何しろ距離が短いので、由利高原鉄道のディーゼルカーは軽やかに通過してしまい、峠越えを感じさせません。

鳥海山ろく線の終点、矢島駅

沿線でも大きな市街地のある前郷(まえごう)駅を過ぎますと、子吉川が列車の右側から近づいてきます。久保田駅と西滝沢(にしたきさわ)駅との間の一部で線路は子吉川に寄り添い、西滝沢駅と吉沢(よしざわ)駅との間でこの川を渡った後、吉沢駅から川辺(かわべ)駅までの間では今度は子吉川が線路の左側に近づいてくるのがわかるでしょう。

川辺駅からの道のりは再び緑の中となります。そのようななかトンネルが突然現れ、驚く人もいるかもしれません。案外列車は深い山の中を走っていたのです。と思ったら元の緑の景色に戻りまして、そのまま終点の矢島駅に列車は到着します。

矢島駅は矢島口と呼ばれる鳥海山登山ルートの起点とされているものの、駅から15kmほど離れた登山道の入口までの路線バスの便などはありません。現状ではあまりいない登山者が鳥海山ろく線を利用してもらえる手立てに期待したいところです。

●著者略歴

梅原 淳（うめはら・じゅん）

1965年生まれ。三井銀行（現在の三井住友銀行）、月刊「鉄道ファン」編集部などを経て、2000年に鉄道ジャーナリストとして独立。『ビジュアル 日本の鉄道の歴史』全3巻（ゆまに書房）『JRは生き残れるのか』（洋泉社）『定刻運行を支える技術』（秀和システム）をはじめ多数の著書があり、講義・講演やテレビ・ラジオ・新聞等へのコメント活動も行う。

ワクワク!! ローカル鉄道路線（てつどうろせん）
北海道・北東北編（ほっかいどう きたとうほくへん）

2018年6月29日　初版1刷発行

著者　梅原 淳（うめはら じゅん）
発行者　荒井秀夫
発行所　株式会社ゆまに書房
東京都千代田区内神田2-7-6
郵便番号　101-0047
電話　03-5296-0491（代表）

印刷・製本　株式会社シナノ
本文デザイン　川本 要

ISBN978-4-8433-5329-5 C0665

落丁・乱丁本はお取替えします。
定価はカバーに表示してあります。